让孩子着迷的
77×2
个经典科学游戏

〔日〕后藤道夫 著

天津教育出版社
TIANJIN EDUCATION PRESS

图书在版编目(CIP)数据

让孩子着迷的77×2个经典科学游戏／〔日〕后藤道夫著；
施雯黛，王蕴洁译. －天津：天津教育出版社，2008.4
ISBN 978-7-5309-5208-5

Ⅰ.让… Ⅱ.①后…②施…③王… Ⅲ.自然科学－儿童
读物 Ⅳ.N49

中国版本图书馆 CIP 数据核字（2008）第 051666 号

著作权合同登记号 图字：02-2007-18

KODOMONI UKERU KAGAKU TEJINA77
Copyright © GOTO Michio 1998
MOTTO KODOMONI UKERU KAGAKU TEJINA77
Copyright © GOTO Michio 1999
Original Japanese edition published by KODANSHA LTD.
Simplified Chinese character translation rights arranged with KODANSHA LTD.
through KODANSHA BEIJING CULTURE LTD. Beijing, China.
All rights reserved.

让孩子着迷的 77×2 个经典科学游戏

出 版 人	肖占鹏
选题策划	新经典文化（www.readinglife.com）
作 者	〔日〕后藤道夫
译 者	施雯黛 王蕴洁
责任编辑	张 洁
特邀编辑	黄渭然 林妮娜
装帧设计	徐 蕊
内文制作	李艳芝

出版发行	天津教育出版社
	天津市和平区西康路 35 号
	邮政编码 300051
经 销	新华书店
印 刷	三河市三佳印刷装订有限公司
版 次	2008 年 7 月第 1 版
印 次	2009 年 2 月第 3 次印刷
规 格	16 开（710 × 930 毫米）
字 数	138 千
印 张	11.5

书 号	ISBN 978-7-5309-5208-5
定 价	20.00 元

自 序

不论是提出相对论的爱因斯坦，还是发明大王爱迪生，他们对科学的兴趣都是在从小与父母沟通、交流的过程中培养出来的。

爱因斯坦拿着父亲送的指南针，对总是指向北方的指针感到十分惊奇。后来，他自己也说，那时他第一次知道竟然有一种力量，眼睛看不到，手也摸不到，却在不停地运作，这给他留下了非常深刻的印象。

而爱迪生小时候，曾收到妈妈送的礼物——一本可以自己在家里操作的科学实验书，他把书上的实验都做了一遍，充分享受到了科学带来的乐趣。

本书的主要目的，就是希望在日常生活中，在亲子互动时，让孩子了解来自科学的知识、趣味和不可思议。

书中介绍的154个科学游戏，不需要大费周折，也不需要刻意准备特别的材料，却能让难以置信的情景展现在孩子面前，让孩子们充分感受到爱因斯坦所说的那种"看不到，也摸不着"的力量。

以前在学校学过数理化的大人们，或许很清楚，这些游戏不过是利用了大气压力、重力或静电的一些特性，来制造令人惊异的效果。但是，对孩子来说，这一切的一切几乎是不存在的，就算知道，也很难了解那些力量对我们日常生活的影响。

所以，看到这些神奇的情景，孩子们一定会眼睛一亮，甚至为之着迷，并且努力猜想这是为什么。这时候，请你不要急着告诉他们答案，而要耐心地陪着孩子一起思考。

现在，学生们大多都认为，数学、物理、化学都是属于背诵、记忆的科目，在以升学为目标的教育体制下，这也许是无能为力的事。但从几年前开始，在日本许多老师的呼吁和帮助下，推出了"青少年科学活动"。以东京为例，在那里，就曾创下一天之内近一万组家长与孩子参加活动的记录。由此可见，确实有很多人关心、重视这件事。

此外，从1998年开始，日本的科学技术振兴事业团制定了"科学推广人"制度，在日本各地展开了扎根本土的科学教育，科学的发展指日可待。

本书介绍的科学游戏，有些是我发明的，有的已经在一些刊物上刊登过。不过，这次我将它们做了修正和改良，让任何人都可以轻松操作。同时，又在当初集结的两百多种科学游戏里，删掉了危险的、需要特殊装置或技术的项目，保留下了154个可供亲子同乐的游戏。

希望本书介绍的科学游戏，让亲子对话更丰富，教育改革更科学，社会发展更和谐。

后藤道夫

各位家长、各位老师请注意：

　　这本书中介绍的科学游戏实验是以大人操作为前提的。有些道具有一定的危险性，所以，最好不要让孩子单独进行实验。

　　大人示范辅导时，也请注意玻璃器皿、陶瓷用具、刀剪、蜡烛、燃气炉、热水和干冰等物品的使用，不要伤到孩子。

　　玩游戏、做实验，常常可能遭遇失败，请不要将此看得太重，多试几次就能成功。此外，请务必做好充分的准备，以免失败时造成危险。

目录 CONTENTS

CONTENTS

CONTENTS

CONTENTS

上编

简易好玩的科学游戏

神奇小毛巾

001

没有打牢牢的结，也没有缝在一起，但两条小毛巾就是拉不开。

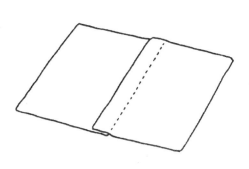

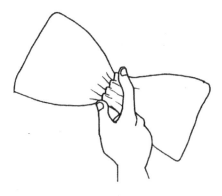

1. 将两条小毛巾在桌上摊开，边缘处相互重叠约 2 厘米。

2. 把重叠的部分折成像手风琴一般的褶皱，然后用拇指和食指捏住褶皱处，让毛巾看起来像领结一样。

3. 让孩子双手分别抓住小毛巾的两端并用力拉扯，虽然你只用了两根手指头，但不论孩子怎么用力，就是拉不开。

为什么？

两条小毛巾的重叠处折成了像手风琴一样的褶皱，虽然只用拇指和食指捏住，却已压住了所有的接触点，因此摩擦力大幅增加。

应 用

除了小毛巾以外，还可以用湿纸巾、手帕等来玩这个游戏。只要是布或不易扯断的纸制品都能如法炮制。

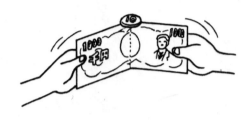

002 硬币金鸡独立

一张薄薄的纸币,不但能够站立在桌面上,还可以稳稳地放上一枚硬币不掉落。怎么会这样呢?

1. 将千元大钞（中国读者可以使用面额100元的人民币）对折,角度保持在接近直角的位置,放上一枚硬币。

2. 小心地捏住纸币两端,慢慢地往两边拉开。

3. 在拉动纸币时,硬币会稍稍晃动,但当纸币被拉成一条直线时,硬币却不会掉下来。

为什么？

纸币渐渐被拉开的过程中,会和硬币之间产生摩擦,硬币的重心随之移动,以保持平衡。当纸币被拉成直线时,硬币的重心也刚好落在这条直线上,自然不会掉落。

做这个游戏时,请尽量使用新钞票,同时拉动纸币时用力要轻,速度要慢,这样成功的几率才会更高。

003 吸管喷雾器

将长吸管和短吸管摆成直角，从长吸管的一端吹气，水就会从短吸管下面往上升，喷出水雾。

1.倒一杯果汁，然后用剪刀将一根吸管按2：1的比例剪开。

2. 将短吸管插进果汁中，长吸管与短吸管摆成直角，同水面平行。

3. 用力在长吸管一端吹气，就可以看到它的前端出现了水雾。（请不要对杯中的果汁吹气。）

为什么 ？

此游戏运用了"伯努利定理"：气流快的地方，气压会下降。

从长吸管吹气时，两根吸管交接处的气流比较快，那里的气压就会下降；而短吸管下端水面处的气压，仍然是正常的大气压力。因此，水面的大气压力就把短吸管周围的水往吸管里挤，直到喷出吸管。喷出来的水，又被长吸管吹出来的气吹散，就形成了水雾。

13

004 筷子圆圈舞

摩擦吸管所产生的静电，有时可以高达数千伏，在静电作用下，卫生筷就会跟着吸管转圈圈。

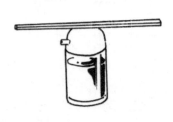

1. 将一根卫生筷放在台架上。小酱油瓶、牙签筒、糖罐等都可以当作台架，只要瓶罐有圆形的盖子，盖子够光滑就可以。

2. 用面巾纸摩擦吸管五六次。

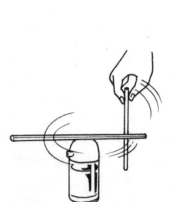

3. 将吸管靠近卫生筷的一头，卫生筷就会被吸管牵引，吸管一动，筷子马上就会跟着动，好像追着吸管转圈圈。

为什么？

吸管经过面巾纸摩擦后，就会带上负电荷。用这根吸管接近卫生筷时，卫生筷上的正电荷会被吸管上所带的负电荷吸引而聚集到靠近吸管的那一端，负电荷则被推往另一端。筷子就变成了一端带正电荷，另一端带负电荷。吸管的负电荷和筷子的正电荷相互产生了牵引作用，就造成了卫生筷追着吸管转圈圈的现象了。

面巾纸摩擦吸管所产生的电荷静止在吸管上，我们称之为静电，其电压有时可达数千伏。此外，筷子上的正电荷和负电荷一样多，只是因为受到带电吸管的影响而暂时分开。

005 叉子硬币平衡杆

两把叉子加上一枚硬币，架在杯沿上，却完全不会掉下去。

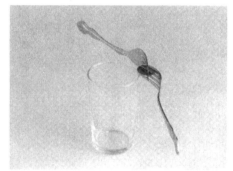

1. 把硬币塞在叉子中央的缝里，再用另外一把叉子一起固定。以硬币为支撑点，这样就做成了一个平衡杆。

2. 将硬币的一角放在杯沿上，以接触点为支撑点。轻轻移动两把叉子，将平衡杆的重心调整到支撑点所在的那条重垂线上，这样就形成了一个平衡系统。

为什么？

　　两把叉子和一枚硬币组成的这个平衡杆的重心，与支撑点刚好在一条重垂线上。当平衡杆倾斜时，重心即使离开了这条线，晃动几下之后还是会重新回到支撑点所在的那条重垂线上。

应 用

　　杯子里装上水，再把这个自制的平衡杆放在杯沿上，然后端起杯子喝水，平衡杆也不会掉下去，这个游戏会更好玩。

006 杯子倒立不漏水

当杯子倒立过来时，满满的一杯水，却被一张纸托住了，真让人惊讶！

1. 杯子里装满水，再拿一张纸，把它剪成比杯口略大的尺寸后，盖在杯子上。

2. 一边用手轻压着纸，一边慢慢将杯子倒过来，然后手放开纸，杯里的水可是一滴都不会漏哦！

应 用

如果用杯垫做这个游戏，效果会更好。假如你所用的杯子比较小，也可以用电话卡、公交卡等来代替杯垫。即使杯子里有冰块也别担心，因为冰的密度比水小，你一样可以轻松完成这个游戏。

为什么？

水的表面张力使杯子和纸完全闭合起来了。此时，杯里水对纸片的压力小于杯外的大气压力，因此，大气压力就帮纸片托住了水。

007 水杯叠罗汉

装满水的杯子上，可以再倒扣上一个水杯。

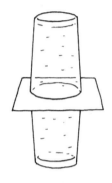

1. 准备两个一样的杯子，都装满水。

2. 将一个杯子按照第 6 个游戏（杯子倒立不漏水）的方法，盖上纸片后慢慢倒过来，扣到另一个杯子上。

3. 仔细地把两个杯口对齐，轻轻地抽掉中间的纸片，上面那个杯子里的水一滴也不会洒出来。（请在空盘子里做这个游戏，同时记住事后清理桌面。）

为什么？

　　虽然两个杯口不可能完全密合，但是由于水本身具有的表面张力，杯口之间的空隙会被填满，再加上外面大气压力的作用，就能做到滴水不漏了。

008 倒不满的啤酒杯

把啤酒往杯里倒，怎么倒都不会溢出来。

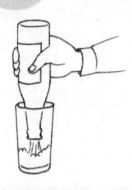

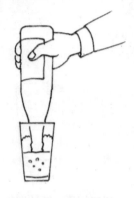

1. 将啤酒瓶垂直倒立，往空杯子里倒酒，必须让瓶口保持在杯子高度的一半之处。

2. 看着啤酒的泡沫不断往上冒，眼看就要溢出来的时候，孩子可能会很着急，但神奇的是，啤酒却突然停止涌出，一点都不会溢出来。

应 用

这个原理常常被应用在养鸟用的给水装置上。如右图所示，在略深的盘子中，并排放置两块橡皮擦。注入水，直到水面与橡皮擦齐高。然后把装满水的大可乐瓶瓶口朝下，放在橡皮擦上，水不会溢出盘外。但是只要小鸟从盘子里喝一些水，瓶内又会流出同样多的水来。

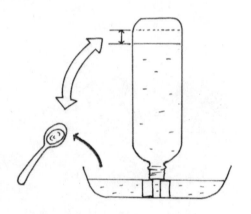

为什么？

这是利用大气压力玩的游戏。大气压力推挤杯中水面的力量正好等于瓶内所剩啤酒的重量加上瓶中空气所产生的压力，于是达到了力的平衡，因此瓶内的酒就不再流出。

009 百元大钞有轻功

明明看见钞票就要掉下去，但99%的人就是无法用手指夹住钞票。

1. 把钞票放在孩子张开的食指和中指之间。

夹住了就给你!

2. 不妨大方地对孩子说："夹住了就给你。"然后放手让钞票落下。

3. 除非是侥幸，否则孩子不可能夹住这张钞票。

为什么？

通过眼睛看，再由大脑作出判断，最后下达命令让手指去夹的这段时间，称为反应时间。人类的反应时间平均约为0.2秒。而在0.2秒内，自由落体下降的距离约为20厘米。因此，当长度不到16厘米的钞票落下时，从眼睛看见到用手指去夹，钞票的上端早就掉到13厘米以下了，所以绝对不可能夹到。

同理，幼儿和老年人之所以比较容易发生交通意外，就是因为他们从发现危险到作出避开反应的时间通常会比较长。

010 盔甲水袋

把塑料袋装满水，就算是用几枝很尖的铅笔刺穿塑料袋，水也不会流出来。

1. 把塑料袋装满水，用手抓紧袋口。

2. 不管是用几枝很尖的铅笔去刺塑料袋，袋里的水都不会流出来。

为什么？

　　塑料袋是人工合成的高分子化合物，有遇热收缩的特性。当铅笔很快地刺穿塑料袋时，摩擦所产生的热会让分子彼此牵引而紧缩，使塑料袋与铅笔杆之间密合起来，所以水就不会漏出来。

011 水流会转弯

让水龙头流出细细的一股水，当吸管靠近时，水流会突然向吸管方向弯曲。

1. 调节水龙头的出水量，使流出的水尽量成为细细的一股。

2. 用面巾纸摩擦吸管几次。

3. 把吸管靠近水流，水流会被吸管吸引，变得弯曲。

为什么？

电荷周围存在着一种叫做电场的物质，电场的基本性质就是对其中的电荷有力的作用。与面巾纸反复摩擦后，吸管上面会聚积大量的负电荷。当吸管靠近水流时，其所带的负电荷的电场，会对水流中的自由电荷产生趋向吸管的静电力，水流就会突然往吸管的方向弯曲了。

012 吊米瓶

瓶子中塞满了米粒，变得很重，但只要插入一根卫生筷，就可以轻松地把瓶子提起来！

1. 选择瓶口较窄的玻璃瓶，装满米。

2. 将一根卫生筷深深插入米中，同时把筷子周围的米用力压一压。

3. 拿住筷子往上提，筷子不但不会被抽出来，还会把装了米的瓶子一起吊起来。（为了安全起见，请在瓶子下方垫上毛巾再进行操作。）

为什么？

虽然只是一粒粒的米，但是因为在瓶内被挤压得很紧，卫生筷和米之间产生了超乎想象的摩擦力。如上操作，卫生筷不但不会被抽出来，还能将很重的瓶子一起提起来。

013 纸杯不着火

纸是典型的易燃品，但只要纸杯里装了水，不论离火多近，纸杯都不会烧着。

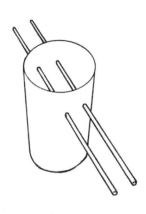

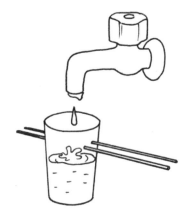

1. 用两根烤肉用的铁签子或竹签子穿过纸杯的上半部，做成把手。

2. 纸杯内装入半杯左右的水。

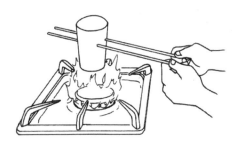

3. 打开燃气灶，调到中火。握住纸杯的把手，将纸杯直接置于火上。这时候你会发现，杯子虽然是纸做的，却完全不会被点燃。（请注意，不要让孩子的脸靠火太近。）

为什么？

　　单位质量的某种物质温度升高1℃所吸收的热量称为"比热"。水的比热很高，它会不断吸收天然气燃烧所散发出的热量。纸的着火点在100℃以上，而水的温度几乎不可能超过100℃，因此，只要杯子里有水，纸杯就不可能着火。

014 大可乐瓶里的龙卷风

垂直倾倒大可乐瓶时，水只会一点点慢慢地流出来。但只要在瓶内制造出旋涡，水就会在一瞬间全部倒出来。

1. 将两升左右的大可乐瓶装满水。

2. 先将瓶子直接垂直往下倒。要倒光全部的水，至少需要 30 秒。

3. 将大可乐瓶再注满水，这次往下倒时立刻转动大可乐瓶，让瓶内的水产生旋涡，水就一下子全倒出来了。

应 用

用胶带把瓶口封住，只开一个直径约1厘米的小洞再试一次，你会发现瓶内"龙卷风"变得更强烈。

为什么？

观察一下瓶内强劲的水柱，你就会发现水柱的中心形成了一个空洞，瓶外的空气就由这个洞进入瓶内，并到达水面上方。在这些空气的挤压下，水就会很快地流出来，看起来就好像瓶子里在刮龙卷风一样。

015 金属碗中的水会跳舞

用大的金属碗装满水，双手在碗口摩擦，碗内会有水花溅出。

1. 大金属碗内装满水，平平地放在湿毛巾上。

2. 把双手洗净，不要让手有滑滑的感觉，然后用手掌摩擦碗口。

3. 很快，你就可以看到碗中溅起了水花，好像水在跳舞一样。

为什么？

在双手的摩擦之下，金属碗会进入一种规则的振动状态，而这种规则的振动满足一定的频率时，会引起金属碗中水的共振，因此就溅起了小水花。

应 用

如果有大的炒菜锅，摩擦锅两侧的金属把手，会取得相同的效果。

016 水里的光线会拐弯

光线原本是直的，但随着水流的方向，却变成一道发光的抛物线。

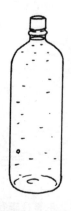

1. 在离大可乐瓶底部约5厘米的地方开一个小洞，用手指压住后装满水，再盖上瓶盖，这样水就不会流出来。

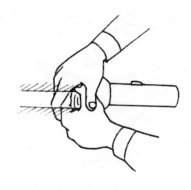

2. 准备好手电筒，关掉房里的电灯，同时用手遮住手电筒的部分光线，让光束变得细长。

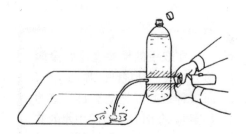

3. 打开瓶盖，水会从小洞里流出，将手电筒置于大可乐瓶后方，使光束与瓶体垂直。这时，光会随水一起流出，水流也成为光线流，落地处也变得十分明亮。

为什么？

　　光线原本应该是直的，为什么会随着水的流动方向，而变得弯曲呢？这是由于手电筒的光以垂直于可乐瓶壁的角度通过瓶中的水时，不能发生光的折射，而又全部被反射回水中，形成了全反射现象。光线在水中不断进行着全反射，最后就呈水流状了。

017 伞套彩虹

下雨时，很多商店都会提供伞套供顾客使用。往伞套里装满水，再用手电筒照射，就可以看见红、蓝两色的光哦！

1. 先在细长的伞套中滴入几滴牛奶，再装满水，然后打结封口。

2. 将装了水的伞套平放在桌子上，关掉房里的灯，用手电筒照射伞套的一端，请利用第16个游戏（水里的光线会拐弯）的技巧，让手电筒的光束变得细长。

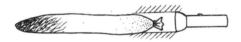

3. 仔细观察伞套，你会发现，在靠近手电筒的那一端可以看见蓝光，而另一端则能看见红光。

应用

把伞套直接套在家中灯泡的下面，也可以制造出相同的效果。可以在报纸中间剪出一个圆洞，套在灯泡外围，来聚拢光束。

为什么？

这也是蓝天和晚霞出现的原理。手电筒的光线与阳光一样，是由红、蓝等单色光组合而成的复色光。空气中的微粒会将光散射，波长较长的红光不太容易被散射，而波长较短的蓝光则容易被散射。因此，接近手电筒的这端，可以散射出蓝色光，红色光则因为不容易被散射，所以落在伞套的另一端。至于牛奶所扮演的角色，就是形成散射光的微粒。

018 相亲相爱的碗

拿起一个碗，另一个你的手根本没有碰到的碗，也跟着被提起来，浮在空中。

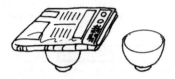

1. 请准备两个一样的碗，把报纸对折两次，折成大小相同的4页，然后用水浸湿，盖在一个碗上面。

2. 另一个碗中倒入半碗左右的热水，然后把热水倒掉，立刻扣在报纸上。注意必须与下面的碗对齐。（小心不要被烫伤。）

3. 1分钟后，用手提起上面的碗，下面的碗就会像变魔术一样，也跟着被提起来。（为了安全起见，请在碗下垫上毛巾。）

应用

在日本料理店用餐时，味噌汤碗的盖子经常会打不开，就是这个道理。只要撬一下碗的边缘，让空气进去一点点，就可以打开了。

为什么？

加入热水又倒掉的碗里，充满了水蒸气，而空气被排出。这时再使它密闭并冷却，水蒸气就凝结成了水，碗内的气压下降。于是大气压力就将两个碗紧紧地扣在了一起。如果你想让这个游戏效果更明显，可以在两个碗里都加进热水再倒掉，这样碗就更不容易被分开了，而且水蒸气冷却所需的时间也更短，几秒钟就行了。

019 易拉罐自动变扁

易拉罐加热之后，用水冷却，不但会让它发出巨大的声音，还会使它变扁。

1. 往空易拉罐里加入一大匙水，然后在易拉环处插一根卫生筷固定好，做成把手。

2. 握住把手把易拉罐放到燃气灶上加热10秒～20秒，易拉罐中的水就差不多沸腾了，它会喷出强大的热气。（小心别被热气烫到。）

3. 把易拉罐口朝下放到事先准备好的一盆冷水里，易拉罐会发出巨大的声响，同时慢慢变扁。

应 用

可乐瓶也可以变扁哦！在大可乐瓶内装入热水，用力晃动，然后倒掉热水，盖上瓶盖，沉入冷水中，瓶子就会变扁。即使不把大可乐瓶放进冷水中，只要在空气中放置一会儿，它也会变扁。

为什么？

这个游戏的原理和第18个游戏（相亲相爱的碗）是一样的。易拉罐里面的水沸腾时所产生的水蒸气会将空气赶出去，而当易拉罐冷却后，水蒸气就会凝结成水，于是罐内几乎变成真空状态，罐外的大气压力就将易拉罐压扁了。

020 大可乐瓶喷泉

大可乐瓶内装入大半瓶水，并插进两根吸管。往其中一根吸管里用力吹气，另一根吸管就会喷出水来。

 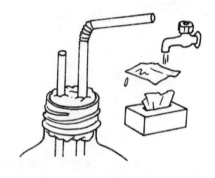

1. 大可乐瓶内装入约 3/4 的水，将一根吸管插入水中，另一根吸管（最好是可弯曲的）也插入瓶内，但不要碰到水。

2. 用浸湿了的面巾纸塞住瓶口，以固定吸管。注意不要留空隙，使可乐瓶呈密闭状态。

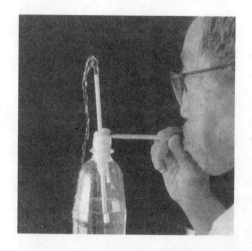

3. 用力吹那根没有接触到水的吸管，水就会像喷泉一样从另一根吸管中喷出来。

为什么？

吹气后，瓶内水面上的气压就增高了，于是水就被挤入了另一根吸管，从而形成了喷泉。

如果不用吹而改用吸呢？这时，大可乐瓶内的气压变小，瓶外的空气会通过另一根吸管进入瓶里，瓶里的水就会冒泡泡。

021 颠倒蛋

没有熟的白煮蛋，通常是指蛋黄部分没有完全熟。但你能煮出蛋黄熟了、蛋清却没有熟透的蛋吗？

1. 锅中倒入水，没过鸡蛋，打开火。

←65℃～68℃

2. 当温度逐渐上升时，用温度计测量着，调整火力，使水温保持在65℃～68℃之间。

3. 30分钟后，白煮蛋就大功告成了，赶快让妈妈为你准备一碗汤，把蛋打进去，好好享用这碗与众不同的"颠倒蛋"吧！

应 用

利用水温在65℃左右的温泉来煮蛋，就可以煮出颠倒蛋，而这种独特的温泉蛋，一定可以成为温泉区的特产！

为什么？

鸡蛋的主要成分蛋白质只要加热就会凝固，但是蛋清和蛋黄凝固的温度却不相同。蛋清会在70℃以上时开始凝固，80℃以上时则完全凝固。而只要温度保持在65℃～68℃一段时间，蛋黄就会凝固。遵循这个原理，就可以煮出与众不同的颠倒蛋了。

022 鸡蛋变胖

只要把鸡蛋放在醋中浸泡3天，蛋壳就会变软，体积也会涨大1.5倍。

1. 把鸡蛋放进较大的杯子里，加醋，使醋刚好没过鸡蛋。

2. 鸡蛋会冒出泡泡，体积也会一天比一天大。请放置3天。（时间可能有点久，但值得一试。）

3. 3天后，鸡蛋硬硬的壳不见了，只剩下一层软软的半透明薄膜，而且体积比原来大了1.5倍!

为什么？

　　白色的蛋壳不见了，是因为它被醋酸溶解了。蛋壳的主要成分是碳酸钙，被醋泡着的蛋壳中冒出来的泡泡就是溶解反应所产生的二氧化碳气泡。

　　至于鸡蛋的体积会涨大到原来的1.5倍，则是由渗透压造成的。当薄膜两边物质（例如蛋白质）的浓度不相等时，就会产生渗透压，浓度较低那边物质里的水就会透过薄膜，渗入另一边，以使薄膜两边物质的浓度相等。鸡蛋内部黏稠状的蛋白质浓度比较高。蛋壳变薄之后，在渗透压的影响之下，醋中的水分就透过蛋壳溶解后形成的半透明薄膜，进入鸡蛋把它撑大了。

023 源源不绝

没有施加任何力量，水却源源不断地流出，这究竟是怎么回事？

1. 准备一根 1 米左右的塑料水管。

2. 一端放入浴缸的水中，另一端用嘴巴含着并吸气，当感觉水已经到达嘴边时就可以停止吸气，用大拇指将水管这端按住，以防水流回去。

3. 把用大拇指按住的那一端，放到比水面低（也就是浴缸外接近地面）的地方，放开大拇指。这时候，没有施加任何力，水却源源不绝地流出。

应 用

将几根吸管串连起来，连接处用胶带固定好，就可以代替塑料水管来玩这个游戏，不过中间的那根吸管，必须选用可弯曲的。

为什么？

一开始是水的重力使水流了出来。你可以把水管内的水当成一个物体，让水管的一端低于水面，水的重心就会落在水管顶点偏外的地方。大拇指一放开，水自然就流出来了。

水流出来以后，水管内便形成了真空状态，大气压力将浴缸里的水压入水管，使得管内的水持续上升，最后流到外面，这个现象称为"虹吸现象"。

024 牙签独木舟

只要蘸上一点洗发香波,牙签独木舟就可以在浴缸里畅快航行了。

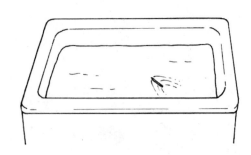

1. 在牙签粗的那一端,蘸上一点洗发香波。

2. 将牙签轻轻放在水面上,牙签独木舟就会朝着没有蘸洗发香波的那一头的方向(尖尖的那一端)前进。

为什么?

洗发香波里含有称为"表面活性剂"的化学成分,这类物质不但能够清除污垢,还能减弱水的表面张力。因此,牙签放在水面后,蘸了香波的那端附近水面的表面张力减弱,牙签自然就会被前方水面较强的表面张力牵引而前进。

不过,牙签在水中完成一次畅游之后,整个水面已铺了一层洗发香波的薄膜,表面张力就减弱了,想要继续玩这个游戏,就得把水搅一搅,独木舟才可以快乐地再次起航。

025 神奇泡泡

用铁丝做成立方体，蘸上肥皂水，铁丝立方体上就会形成不可思议的肥皂泡平面组合！

1. 用铁丝做成一个立方体（可以在文具店购买做手工用的铁丝），为了方便表演，可以再多做一个把手。

2. 用肥皂或洗发香波调制肥皂水。

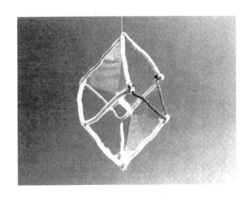

3. 将铁丝立方体浸入肥皂水中再拿起，附着在铁丝立方体上的肥皂泡就会形成不可思议的平面组合。

为什么？

只要借助框架结构的工具，肥皂泡就能够呈现出形态各异的平面组合。这是因为当肥皂泡附着在铁丝表面时，为了尽量减少能量的消耗，薄膜的面积会尽量缩小，也就是说，能量消耗最少的时候，面积最小。所以，扭动立方体，或用不同形状的框架结构，就可以制造出不一样的肥皂泡平面组合。

这个实验是对"能量最小的时候状态最稳定"这一科学原理的验证。

专栏 ① 科学家的童年·费曼

重视实验的爸爸

美国著名物理学家费曼对量子力学的发展做出了很大贡献。他小的时候，非常喜欢在小车上放一个球拉着玩。

让小费曼感到不可思议的是，当拉动小车时，球并不向前滚，反而往后滚动；相反地，当车子停下来时，球反而会很快地向前滚动。

看到这个奇怪的现象，小费曼跑去问爸爸。爸爸并没有立刻告诉他答案，而是带着小费曼做了一个实验。

爸爸在地板上每隔1厘米摆一根吸管，大约摆1米长。然后，在吸管上放一个空盒子，盒子前绑上绳子，里面放上小弹珠。试着往前拉动盒子，然后让它很快停下来。

这时候，小弹珠会如何滚动呢？

小费曼反复做这个实验，并缠着爸爸要他说明原理。爸爸与他一起思考，同时引导他试着想想弹珠和车子间的相对运动及惯性。

经过深入思考，费曼明白了两件事。

第一，运动的状态也可以看成静止的状态。第二，在没有外力作用的情况下，运动中的物体会保持原有的速度，静止的物体会保持静止状态。费曼已经领悟到了"运动相对性"和"惯性"这两个基本概念。

爸爸的这种教育方式启发了费曼，使他对科学的各个领域都产生了浓厚兴趣。

您的孩子会不会也对小车上弹珠不可思议的滚动现象感到好奇呢？其实玩具卡车、小盒子，或是随手可得的东西，都可以让孩子多接触、多动手、多思考，也许孩子的潜能就这样被开启了。

36

026

卫生筷大力士

挂在卫生筷上的水壶看起来快要掉下去了，其实不必担心，组合简单的卫生筷支架，完全可以支撑住大水壶。

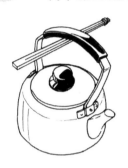

1. 在一根卫生筷前端扎上橡皮筋，放在水壶把手下面。

2. 将另外一根卫生筷对折，一端顶住橡皮筋，另一端顶住壶盖钮的底部。

3. 将卫生筷架在桌边，就可以把水壶挂住。

为什么？

　　仔细观察水壶的平衡状态，会发现两根筷子呈"く"形状。此时卫生筷在桌边的支撑点与水壶的重心刚好在一条垂线上，从而达到了平衡，于是壶身就被固定住了。为了增加卫生筷和水壶把手之间的摩擦力，可以在把手上贴上砂纸，这样效果会更好。

027

汽水火山爆发

只要在瓶装汽水内，放入两三颗泡腾片，就可以制造出"火山爆发"般的奇观。

1. 准备瓶装汽水或碳酸类饮料，将瓶盖打开。

2. 放入两三颗泡腾片。

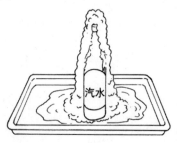

3. 一开始只冒出一点泡泡，一会儿的工夫，就会出现"火山爆发"的奇观。（把汽水瓶放在托盘上进行。）

应 用

小苏打常被用来做发酵粉，是不少家庭的常备品。如果直接向汽水中添加小苏打，只要一小匙，就会产生更惊人的火山爆发效果。

为什么？

泡腾片中含有小苏打，也就是碳酸氢钠。碳酸氢钠溶于水时，就会产生二氧化碳。而汽水等碳酸饮料中，本来就含有二氧化碳。汽水中的二氧化碳和碳酸氢钠溶解产生的二氧化碳一起冒出，就出现了类似火山爆发的景象。

028 吸水蜡烛

盘子里面的水，一转眼就被吸到杯子里去了。

1. 准备一个浅盘和一个玻璃杯，把蜡烛固定在浅盘中间。

2. 给浅盘注满水，点燃蜡烛。

3. 用杯子罩住蜡烛，在蜡烛熄灭的瞬间，盘子里的水就会被吸到杯子里去。

应 用

如果没有蜡烛，可以往牙签上插一颗花生米，将它固定在一块橡皮上，置于浅盘中，再点燃花生米，一样可以表演这个魔术。

为什么？

蜡烛燃烧使得杯子里的空气变热，热空气膨胀就会溢出杯外。接着，杯中的氧气用尽，蜡烛熄灭，之后杯内空气冷却，气压下降。同时，燃烧所产生的二氧化碳溶于水，也会使杯中的气压下降。于是，杯外的气压高于杯里的气压，就把水压进杯子里去了。

029 硬币会唱歌

用手握住瓶子，瓶口上的硬币就会"咯咯咯"地唱起歌来。

啤酒

1. 将啤酒瓶之类的空玻璃瓶放进冰箱里，1 个小时以后取出来，或是直接放到冰水中冷却。

2. 在瓶口上放一枚硬币，为了防止它掉下来，可以用胶带将硬币固定在瓶口。（请将瓶口的水擦干，否则胶带难以附着。）

咯咯咯

3. 双手用力握住瓶子，不一会儿，硬币就会发出"咯咯咯"的响声了。

为什么？

　　温暖的手掌接触到冰冷的瓶子后，瓶内的空气因为受热而膨胀，膨胀的热空气往上升，于是将瓶口的硬币往上推。由于硬币很重，所以立刻就落了下来，如此反复进行，就会发出咯咯的响声。

　　在玩这个游戏时，手要尽量热，可以先将手在热水中泡一会儿。另外，还可以用水浸湿硬币，让它和瓶口的接触更紧密，这样实验就会更完美了。

030 玻璃球穿墙功

瓶口用硬币盖住了,但玻璃球竟然可以穿过硬币,直接落到瓶子里。

1. 准备玻璃瓶和玻璃球,在瓶口放一枚大小合适的硬币。

2. 把一张A4大小的纸卷成直筒状,再用胶带固定好,套在瓶口,从纸筒顶端放进玻璃球。

3. 虽然瓶口盖着硬币,玻璃球却像变魔术一样,直接穿过硬币,落到瓶子里。

为什么？

玻璃球和硬币相撞时,它们都会弹起来,再掉下去。这时硬币与瓶口间会出现空隙,如果玻璃球刚好进入空隙,就会顺利地落进瓶子里,硬币则再落回瓶口。玩这个游戏时,纸筒高一点比较容易成功。

注意,如果用大可乐瓶来做这个实验,就会减弱玻璃球和硬币碰撞的效果,不容易成功。

031 易拉罐散步

易拉罐会跟在大大的气球后面滚动散步。

1. 把空的易拉罐平放在地上。

2. 把气球吹起来并绑紧，用面巾纸反复摩擦。

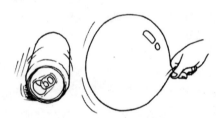

3. 让气球靠近易拉罐，此时，易拉罐就会开始追着气球滚动。

为什么？

气球用面巾纸摩擦后，带上了大量的负电荷。易拉罐由金属制成，是一种导体。当带有大量负电荷的气球靠近不带电的易拉罐时，就会出现静电感应现象。易拉罐上靠近气球的部分会带上正电荷，正电荷与气球的负电荷相互吸引，自然就会出现易拉罐跟着气球跑的情形了。

应用

塑料垫、塑料袋也可以用来代替气球，只要用面巾纸摩擦之后，就可以做这个实验了。用吸管也行，但可能力量较弱。

易拉罐火花

032

在易拉罐上包上保鲜膜，再把膜揭开，当手指靠近易拉罐，就会看到易拉罐冒出火花。

1. 在易拉罐顶端用胶带粘上一根吸管，作为把手，以免直接接触到易拉罐。

2. 在易拉罐上包一圈保鲜膜，然后拿起吸管让易拉罐悬空，揭掉保鲜膜。

3. 这时，用一根手指接近易拉罐，易拉罐和手指之间就会进出火花，还有一点点触电般麻麻的感觉。

为什么？

　　揭下易拉罐上的保鲜膜时，由于摩擦，会使易拉罐积累起大量电荷。易拉罐是一种金属导体，人体也是一种导体，当人体与带有大量电荷的易拉罐相接触时，就产生了放电作用，使得两个导体之间的空气被击穿而出现火花。

　　火花出现时，多少会有一点触电的感觉。但这时候的电流非常小，没有任何危险，所以即使让小孩子操作也不必担心。

033　人体电池

把金属勺子和铝箔纸同时放到舌头上,并没有什么异样的感觉。但只要让这两种金属手握的那端一接触,就会产生一种苦苦的味道。

1. 让孩子两手分握金属勺子和铝箔纸,放在舌头上,这时不会有什么特别的味道。

2. 接下来,让勺子和铝箔纸手握的这一端相接触,再去感觉,一种苦苦的味道就出现了。

为什么?

在电解液中,只要放入两种不同的金属,就能做成电池。唾液可以说就是一种电解液,金属勺子和铝箔纸则是两种金属。把这两种金属放进嘴里,就组成了电池。再让用手握的这一端接触,相当于接通了电池使之放电,味蕾受到电流刺激,就会感觉出苦味。

勺子变磁铁

用磁铁在铁勺子上反复摩擦，就能把勺子变成磁铁。不过，只要在桌角敲一敲，勺子又会失去磁性。

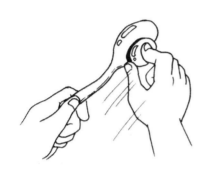

1.用磁铁（冰箱贴也可以）在铁勺子底部反复摩擦。

2.将摩擦过的部位贴近铁制的回形针，勺子竟然像磁铁一样，把回形针吸了起来。

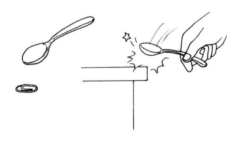

3.再把勺子在桌上敲几下，勺子就又变了回来，吸不起回形针了。

为什么？

　　一般铁质勺子里的铁，可以说是一个一个的小磁铁。但是这些小磁铁并没有整齐排列，所以不具有磁力。不过，只要利用真正的磁铁的磁力把这些杂乱小磁铁排列整齐，勺子就具有磁性了。

　　再把有磁性的勺子在桌子上敲一敲，这些小磁铁的方向又会变乱，勺子自然就失去了磁力。

盐水酱油二重奏

035

在装满浓盐水的杯子上，倒扣一杯酱油水。你会发现，这两杯水不会彼此混合，界限分明。

1. 和第7个游戏（水杯叠罗汉）的方法相同。先准备一杯浓盐水和一杯加了几滴酱油的酱油水。

2. 在盛酱油水的杯子上盖上纸片，反扣在盛盐水的杯子上。（请务必在盘子上进行。）

3. 慢慢抽出纸片，下面的盐水和上面的酱油水互不侵犯，界限分明。

为什么？

浓盐水的密度比酱油水大，因此，两杯水只在表面部分有所接触，不会混在一起。但是，如果把两杯水倒过来放，密度大的盐水在上、密度小的酱油水在下，盐水就会往下流，最后就会变成两杯颜色很浅的混合水。

应 用

做完实验后，你不妨放一个晚上看看，结果还是一样。如果把下面一杯换成凉水，上面一杯换成加了颜色的热水，也可以达到相同的效果。不过，随着热水温度的下降，两种液体的密度不再有差别，最后就会混合在一起。

46

036 吸力名片

在装满水的胶卷盒上盖一张名片，抓着名片两端慢慢地往上提，不但水不会流出来，胶卷盒也会一并被提起来。

1. 在空的胶卷盒里装满水，裁4张和名片一样大小的报纸，叠放在胶卷盒口。

2. 在报纸上面再放一张名片，轻压一下胶卷盒，让水稍微溢出，加强密合效果。

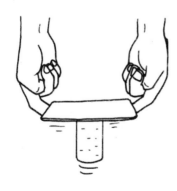

3. 用手指轻轻抬起名片两端，你会发现连装了水的胶卷盒也一起被提了起来。（请在盘子上进行。）

为什么？

这是借助大气压力和水的表面张力做的实验。由于水的表面张力的牵引，使名片与胶卷盒口闭合，两者合二为一。抬起名片时，装水的胶卷盒会受到的向上的大气压力，它超出了水与胶卷盒所产生的重力，装了水的胶卷盒于是就被托了起来。湿报纸的作用在于加强密合效果，多次练习之后，只用名片就可以玩这个游戏了。

手掌吊瓶子

手掌可以吸附重重的玻璃瓶，不会让它掉下去。

1. 往装果酱或牛奶之类的空玻璃瓶里，加入少量热水，摇一摇，然后倒掉。（小心不要被烫伤。）

2. 手掌严密地覆盖在瓶口上。

3. 等瓶子冷却后，抬起手掌，瓶子就会被吸起来，就算手掌晃动，瓶子也不会掉下去。

为什么？

注入热水又倒掉的瓶子里充满了水蒸气，瓶内的空气会被排出。随着瓶子的冷却，密闭的瓶子中的水蒸气凝结成水，使瓶内的气压变小。而瓶外的气压较大，所以瓶子就被轻易地压在手掌上了。

这个现象看起来好像是瓶子被吸起来了，其实瓶子是被压在手掌上了。

038 拿不出来的橡胶手套

将橡胶手套固定在空牛奶盒中，不管怎么用力，都拉不出来。

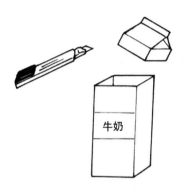

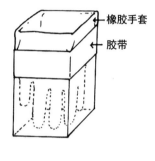

橡胶手套

胶带

1. 用手工刀将牛奶纸盒的上半部裁掉。

2. 放一只橡胶手套到盒中，把手套的手腕部分翻到盒外包住盒口，用胶带固定好，使纸盒内呈密闭状态。

3. 让孩子把手伸进盒内，将橡胶手套拉出来，但是无论怎么用力，就是办不到。

为什么？

由于牛奶盒与橡胶手套之间形成了密闭的空间，当你想拉出手套时，势必要使这个密闭的空间扩大。但由于空气无法从外面进入并填充这个空间，外面的大气压力会向内挤压橡胶手套，因此怎么也拉不出来。

49

"气" 功断筷

039

用报纸盖住卫生筷，然后用硬的木棒敲击，报纸不会往上翻，筷子已经被切断了。

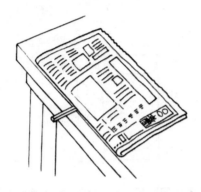

1. 把一根干燥的卫生筷放在桌子上，上面盖上报纸。注意，让筷子的1/3露在桌面外。

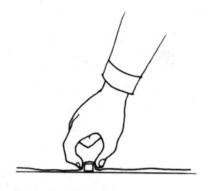

2. 用力压紧报纸，让它和筷子之间没有缝隙，呈密合状态。

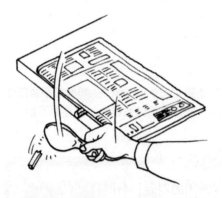

3. 拿擀面杖或是木勺子等硬物，迅速敲击卫生筷露出的部分，报纸动都没动，卫生筷已经应声而断。

为什么？

这是压在报纸上的大气压力所引起的现象。当报纸和卫生筷之间完全密合时，空气就无法进入，卫生筷就被很大的力量压制住了，猛然敲击卫生筷，筷子露在桌外的部分就会折断。

如果不用硬的东西敲击，而是轻轻地用手指往下压一压卫生筷，报纸就会被轻易地抬起来。这是因为报纸和筷子之间进入了空气，大气压力的影响已经不复存在了。

报纸开出水中花

将折好的报纸放进水中,报纸会往外翻,露出藏在里面的花朵。

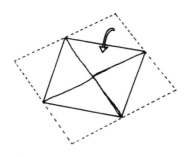 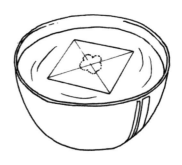

1. 把报纸裁成边长20厘米的正方形,然后将4个角向中心对折。

2. 在报纸中央预先放上一朵彩色纸花,然后将报纸轻轻地放到装满水的盆中。

3. 报纸折着的4个角渐渐地往外翻开,藏在里面的花就慢慢现身了。

为什么？

报纸会吸水,因为纸里的纤维互相交错呈网状,其间的空隙可以含住水分,浸过水的报纸将借助水的表面张力,使报纸折着的4个角先立起,再慢慢地在水面上展开。

041 溶化的泡沫塑料

在泡沫塑料盒上滴几滴柠檬皮的汁，泡沫塑料就被神奇地溶化了。

1. 准备一个超市用来装肉、鱼、蔬菜的一次性泡沫塑料盒。

2. 在盒上滴几滴柠檬皮汁（请注意，是柠檬皮的汁而不是柠檬果肉的汁），泡沫塑料就会出现溶化的现象。

为什么？

　　这是因为柠檬皮的汁里含有可以溶化泡沫塑料的化学成分。这种成分不仅存在于柠檬皮中，所有柑橘类水果的果皮都含有这种成分。希望这个小游戏能对处理大量的废弃泡沫塑料有所帮助。

042 冰块太空漫步

冰块竟然浮在水和油之间，就像在太空漫步一样。

1.装上半杯水。

2.再倒进半杯油（色拉油、麻油、橄榄油等都可以），油和水会很自然地分为上下两层。

3.把冰块放进杯子里，它会浮在水和油的交界处，就像在太空漫步一样。

为什么？

冰的密度小于水大于油,所以才出现了冰块浮在两者交界处的现象。

043 浮蛋

通常情况下，水里的鸡蛋是会沉底的，但这颗鸡蛋却可以浮在水里。

1. 准备一个大杯子，倒入半杯水，加盐并搅拌，一直加到无论怎么搅拌，都无法溶化剩下的盐为止。

2. 另外准备一小杯清水，顺着杯壁慢慢地倒进大杯子里，让清水在盐水之上。

3. 轻轻地往大杯子里放进一颗鸡蛋，鸡蛋会浮在水中央，不会上下浮动。

为什么？

杯子里的水分为两层，下层是饱和的食盐水，上层则是普通的水。鸡蛋虽然会沉入水中，但却可以浮在盐水之上。所以，就出现了鸡蛋静止在水中央的现象。

应 用

为了避免盐水与清水混合，可以从牛奶盒上剪下一块与杯子直径相当的圆纸片，将之放在盐水上再慢慢倒入清水，这会让二者之间的界限更分明。之后，等圆纸片浮上来的时候把它拿出来就可以了。

044 吃蛋的牛奶瓶

把白煮蛋放在玻璃瓶口上，不用你动手，蛋就被吸进瓶子里了。

1. 往一个装牛奶用的空玻璃瓶里注入热水，摇一摇，把热水倒掉。（小心不要被烫伤。）

2. 将剥了壳的白煮蛋（请选个头较小的鸡蛋，煮半熟），放在玻璃瓶的瓶口。

3. 过一会儿，白煮蛋就被自动吸进瓶子里去了。

为什么？

热水的水蒸气，把玻璃瓶里的空气排了出去。放上白煮蛋后，蛋会与瓶口严密地闭合起来。这个密闭的瓶子冷却后，水蒸气就会凝结成水，于是瓶内的气压下降，白煮蛋就被瓶外的大气压力压进瓶子里了。

应 用

如果觉得这样做太花时间，可以把瓶子泡在水里。

045 鸡蛋跳水

一抽掉厚纸板，纸筒上的鸡蛋立刻掉进水里。

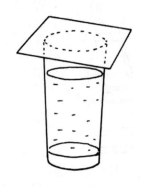

1. 杯子里倒水，八分满，从空牛奶盒上裁下一块比杯口大一圈的正方形厚纸板，盖在杯口上。

2. 在厚纸板上面，正对着杯口的位置上，放一个卷筒卫生纸的纸芯，在纸芯顶端放一颗白煮蛋。

3. 沿水平方向快速抽掉厚纸板，鸡蛋"扑通"一声就掉进水杯里了。（有可能失败，请小心操作。）

为什么？

物体保持其原有状态的性质叫做惯性。惯性的大小与物体的重量成正比。当厚纸板被快速抽离时，卷筒卫生纸的纸芯和鸡蛋都会受到惯性的作用保持原有状态，但由于纸芯比较轻，它会受到厚纸板抽离时的摩擦力而往旁边倒，而较重的鸡蛋则会掉进水里。选用较细的纸芯或竹管，比较容易成功。另外，用生鸡蛋来做这个实验，会更刺激。

046 鸡蛋立正站好

不必削平鸡蛋的底部，就可以稳稳站住。

1. 不管是生鸡蛋还是白煮蛋，都可以玩这个游戏。将鸡蛋较大的一端朝下，耐心地找出它的平衡点。（我平均需要用5分钟。）

2. 找到平衡点，鸡蛋就可以在桌上立正站好。

为什么？

用放大镜观察鸡蛋壳，你会发现，蛋壳的表面就像右图所画的那样布满了小点点。只要能使鸡蛋的重心落在底部蛋壳上任意3点构成的平面内，就可以让这3个小点把鸡蛋支撑起来。刚开始练习时，请先在桌子上铺一张面巾纸。

铜钱钟摆

长短不一的3根线绑着3枚铜钱，想让哪枚铜钱摆动，就可以让它动。

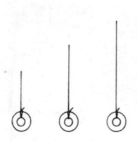

1. 准备3枚铜钱，分别绑上3根不同长度的细线。

2. 按照短、中、长的顺序，把3根线的另一端绑在筷子上，然后让孩子来决定，要让哪一枚铜钱摆动。

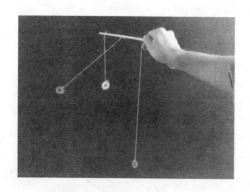

3. 仔细凝视孩子指定的那枚铜钱，想办法只让它摆动。你会发现，真的只有那枚铜钱在大幅地摆动呢！

为什么？

　　绑着铜钱的3根线就像钟摆一样。较长的线摆动周期较长（摆动速度慢），而较短的线摆动周期较短（摆动速度快）。而不同频率的作用力能够让相应长度的线摆动。这就是共振现象。

　　假设孩子指定让最短的那根线摆动，你只要对筷子施加驱动力来配合那根线的摆动周期就可以了。这时候，其他两根线好像完全没动似的。

地震与建筑物

在3个高矮不同的"建筑物"中，孩子想让哪个倒塌，你就有办法让它应声而倒。

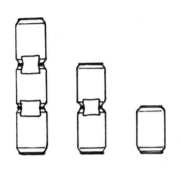

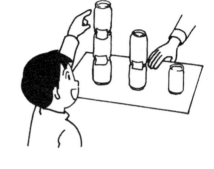

1. 先准备6个易拉罐，一个放着，剩下的5个分成2个一组和3个一组。每组易拉罐摞起来，用胶带固定好，成长筒状。

2. 把这3个不同高度的"建筑物"放在厚纸板或垫子上，问孩子要让哪一个倒掉。

3. 集中精神，抓好厚纸板的一端，沿水平面来回推拉。想办法配合孩子指定的那个"建筑物"的振动频率，它一定会倒下。（空易拉罐或没开封的饮料罐都可以。）

为什么？

　　这是一种共振现象。只要推拉厚纸板的频率与某个"建筑物"的振动频率相吻合，它就会倒掉。一般来说，纸板动得快时，矮的"建筑物"容易倒；动得慢时，高的"建筑物"容易倒。现实生活中的有些建筑物遇到地震就会倒塌，这是因为建筑物自身的振动频率和地震波的频率相吻合，而产生了共振现象。

049 自动断线

把5枚铜钱的上下端都用细线绑好。让孩子选择，想让铜钱上面的还是下面的线断掉。

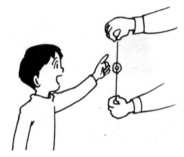

1. 将5枚铜钱叠好，用胶带固定，然后在上下两端绑上细线。

2. 用双手分别拉起两根线，让孩子选择让哪一根线断掉。

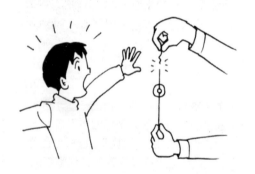

3. 如果孩子指定上面那根线，请轻拉下面的线；如果孩子指定下面那根线，就迅速地拉扯下面的线，说断就断，绝对可以满足孩子的要求。

为什么？

　　扯断的是哪一根线，看起来好像是很偶然的事情。其实，只要是对线用力，不论是上面的线还是下面的线，你都可以随意扯断。

　　想让上面的线断掉，只要慢慢轻拉下面的线，铜钱所受的重力会因为拉扯而反弹到上面，使得上面的线断掉。

　　与之相反，如果想让下面的线断掉，就要尽量快速而用力地拉下面的线。下面的线所受的力还来不及传到上面，线就因为受力过猛而断掉了。

050 透视眼

一般人无法从外面看到信封里面的字，而你却能透视。

1. 让孩子用签字笔在白纸上写下几个字。

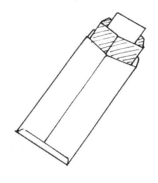

2. 把信放进淡褐色的信封封好，然后再套一个白色信封。隔着两层信封，一般人是看不到里面的字的。

3. 用挂历纸卷成 10 厘米左右的长筒，用它紧贴着信封看，就可以看到信封里的字了。

为什么？

　　一般把信封面向我们的一边称为正面，另一边为背面，只有当光线能够透过信封和信封内的纸时，我们才能看到里面的字。但是照在信封正面后又反射到我们眼睛里的光，比从信封背面穿透过来的光强烈得多，所以我们往往看不到信封里的字。而卷筒遮掉了照在信封正面的光，这样反射光也就随之消失，这时信封背面的光就变得强烈，我们就能看到信封里的字了。

61

爸爸给爱因斯坦的指南针

爱因斯坦是提出相对论的伟大物理学家。据说他在5岁的时候，就已经迈出了成为科学家的第一步。

故事是这样的，有一次，爱因斯坦病了，于是爸爸拿了一枚指南针给卧病在床的小爱因斯坦解闷。当时，爱因斯坦看到，不管怎么转动指南针，指针永远指向北方，这令他感到一种难以言喻的兴奋。在那一瞬间，他第一次认识到，有一种看不到，也摸不到的力量在发挥作用。

爱因斯坦晚年时曾表示："这个经历给我留下了深刻的印象，一直持续了很长时间，我相信，它有一种不为人知的力量，开启了我对科学的兴趣。"

你要想自己制作指南针并不困难，照下面的方法做就可以了。

用冰箱贴在缝衣针上朝相同方向摩擦几次，然后把被磁化的针插在一小片泡沫塑料上，放进装满水的杯子里，针尖所指的就是北方。

其中的原理很简单，针是铁制品，只要经过磁化，就会成为磁铁，可以清楚地指示南北。用冰箱贴的正面（这类磁铁的正面和背面，分别是南极和北极）朝同一方向摩擦缝衣针的尖端，针尖就会变成北极，针孔部位则变成南极。这是因为针里面的铁分子受到磁力的影响而改变了原来杂乱的排列方向，全部朝向北极的缘故。

学习自制指南针的过程，也会让你的孩子变得像爱因斯坦那样兴奋吧！

051 一指神功

孩子坐在椅子上，爸爸只用一根指头顶住他的额头；他就没办法站起来。

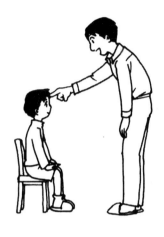

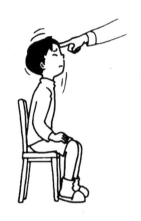

1. 让孩子坐在椅子上，只用食指顶住他的额头。

2. 让孩子试着站起来，但他就是站不起来。

为什么？

　　人要从椅子上站起来，首先上半身要前倾，把身体的重心移到前面，然后才能借助双脚用力把身体撑起来。但是头部一旦被手指抵住，身体就无法前倾，自然也就站不起来了。

052 手臂变短

双臂向前伸,然后单手做激烈的屈伸运动,你会发现手臂突然短了好几厘米。

1. 让孩子把双手水平前伸,两条手臂的长度是一样的。

2. 让孩子保持一手水平前伸,另一手做30次左右的手臂屈伸运动,注意手臂要保持水平,动作幅度略为激烈。

3. 双臂回到前伸的状态,孩子会发现,做过运动的那只手臂突然短了好几厘米。

为什么?

人体的关节部位或多或少都有一些空隙。手臂是由肌肉和韧带来连接的,进行了激烈的屈伸运动之后,肌肉和韧带会产生暂时性的收缩,关节处的空隙也会暂时缩小,所以手臂就变短了。不过别担心,过一会儿,手臂就会恢复到原来的长度了。

053 脊椎变长

向前弯腰时，有的孩子身体僵硬，很难用手碰到地板。这时只要让孩子一边呼气一边练习，就能成功。

1. 让孩子双脚并拢，膝盖伸直，身体向前倾，双手和头部朝地板下压。

2. 如果孩子可以轻易地用手触到地板，这个游戏就可以停止了。假如孩子双手离地还有20厘米左右，就让孩子一边弯腰，一边大口呼气，一次、两次、三次……

3. 不可思议的事发生了，随着孩子一次次呼气，他的手也离地板越来越近，慢慢地就接触到了地板。

为什么？

呼气运动可以放松全身的肌肉和韧带，提高身体的柔韧度，此时再慢慢前倾，就可以碰触到地板了。

妈妈送给小爱迪生的科学实验书

爱迪生小的时候，妈妈曾送给他一本附有简单插画，教人们在家里做科学实验的书。爱迪生做遍了书中的实验，从中尝到了科学的乐趣。

爱迪生对科学的好奇心，即使在成年后也没有减弱。为了找到合适的电灯灯丝，他做过2 000多次实验。经历了不计其数的失败之后，他终于发明了可以照明1 000多个小时的电灯。

当初爱迪生研发出来的灯丝，是用竹丝烧制的。竹丝的原材料叫做真竹，出自日本京都以石清水八幡宫而闻名的男山。后来，八幡市汽车站前的那条路，就被命名为爱迪生路，并建有爱迪生的纪念铜像。

爱迪生制造灯丝的实验，可以依照下面的步骤来做。

把烤肉用的竹签用两层铝箔纸卷住并密封，放到煤气炉上用大火加热几分钟。这时候，从铝箔纸的缝隙中，会冒出一些气体，并且发生燃烧。几分钟后取出竹签，它已经变成细细的黑炭了。

炭有两种，一种是较难导电的柔软黑炭，另一种则是能导电的坚硬白炭。

准备4节电池，用竹签制成的黑炭把它们连接起来，炭丝就会像电灯里的灯丝一般，发出白色的光芒。

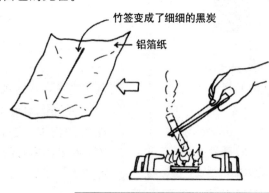

竹签变成了细细的黑炭

铝箔纸

054 吸管笛子

吸管可以变成一枝笛子，吹出不同的音域。

1. 将吸管的一头用力咬扁，然后使劲吹。吸管会发出声音。

2. 如果逐一剪短吸管，随着吸管长度的变化，声音还会出现高低变化，就像笛子的不同音域一样。

为什么？

吸管被咬扁后，吹入的气流不能顺利通过，气流撞击到吸管不规则的内壁就产生了旋涡，引起了共鸣。声音的高低，则与共鸣腔的大小，即吸管的长度有关。长吸管产生低音共鸣，短吸管则产生高音共鸣。因此，一边吹吸管一边剪短它时，就会听到明显的音域变化。

应用

也可以找几个形状相同的空的大可乐瓶来玩这个游戏。在瓶内注入水，水位各不相同，然后靠近瓶口吹气，吹出的声音也会有差异。这也是共鸣造成的，水面上共鸣腔大小不同，就会产生音域的变化。

055 飘浮的皮带

只用指尖撑着皮带和笔帽，它们却不会掉下来！

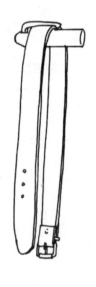

1. 选一条较轻较细的皮带，在它的 1/2 处用笔帽夹住。

2. 轻轻地用手指抬起笔帽，慢慢调整使其平衡，看起来皮带好像悬浮在空中一样。

为什么？

　　当整体处于平衡状态时，位于指尖的支撑点与皮带和笔帽的重心落在同一条重垂线上，所以不会掉落。

056 气球串

通常气球很容易被尖的竹签扎破，但你却可以让竹签穿过气球，像烤肉串一样把气球串起来。

1. 用手工刀把烤肉串用的竹签削尖。

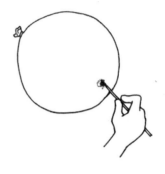

2. 把气球吹起来，让竹签对准与气球吹气口相反的一端（也就是比较不透明、颜色较深的地方），小心用力，慢慢地穿过去。

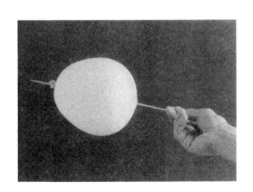

3. 气球不会被扎破。你还可以像图中那样，把整个气球都串在竹签上。

为什么？

　　请仔细观察吹好的气球，吹气口和气球顶端是两个比较特别的地方。用尖竹签穿过气球顶端和吹气口，气球是不会破的，因为竹签穿过时摩擦所产生的热会让分子彼此牵引而收缩，这时空气不会漏出去。

057 乒乓球太空漫步

吹风机的出风口向上吹冷风,在风口处放一个乒乓球,球会上下左右激烈地跳动,却不会掉下来。

1. 将吹风机调至"冷风"档,向上吹,轻轻地在风口处放上一个乒乓球。

2. 这时候,乒乓球会在空中一个固定的范围内上下左右激烈地跳动,但绝对不会落下来。

3. 改变吹风机的风向,乒乓球也会随着风向转移,但是不再左右摆动。

为什么?

　　吹风机的风会不断将乒乓球往上推,但因为球自身有一定的重量,它会上下跳动;至于左右摇摆,则是由于通过乒乓球旁边的气流速度不稳定而形成的。也就是说,空气流速较快的地方,气压较小(伯努利定理——参看第3个游戏),而流速较慢的地方气压较大,于是乒乓球就左右摆动起来。

　　当吹风机斜吹时,乒乓球之所以不会掉落也不会左右摆动,是由于风的推力,使各方面的力量保持在了一个平衡的状态中。

058 一点定重心

不管棍子的形状多么不规则，我们都有办法找到它的支撑点。

1. 用报纸或是挂历纸卷成几个圆锥状纸筒，并将它们套成一根长纸棍，用胶带固定好。这根纸棍越长，游戏越好玩。

2. 用双手的食指，分别撑住纸棍的两端。然后交替地、慢慢地往中间移动。

3. 两根手指最后碰到一起的那一点，就是纸棍的重心，也就是让纸棍平衡的支撑点。

为什么？

不管棍子的形状多么不规则，只要它能被两根食指支撑起来，那么重心就一定在这两个支撑点之间。一边继续支撑着棍子，一边让两根手指慢慢地交替着往中央位置移动，最后的重合点就是重心。

应　用

这个游戏不仅能用手指进行，手臂也可以，而且不一定要用棒状的物体。如果爸爸是个大力士，不妨试着把孩子架在手臂上，让孩子挺直背，帮他找到重心，但一定要注意安全。

蝴蝶飞飞

059

从塑料袋上剪下来的蝴蝶，可以在塑料垫上翩翩起舞。

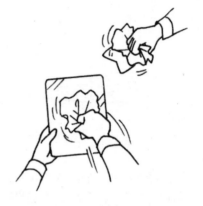

1. 从塑料袋上剪下形状与蝴蝶相似的一块塑料片。

2. 用面巾纸充分摩擦蝴蝶和塑料垫。

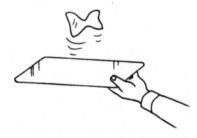

3. 把蝴蝶放到半空中，在它下面拿着塑料垫轻轻晃动，蝴蝶就会在空中飞舞起来。

为什么？

蝴蝶形塑料片和塑料垫被面巾纸摩擦后，都聚集了大量的负电荷，因此就使两者之间产生了很大的排斥力。轻盈的蝴蝶于是就随着垫子的晃动，轻轻地飞舞起来。

应 用

可以用吸管代替塑料垫，用面巾纸充分摩擦之后，放在蝴蝶下面，它也会飞舞起来。

060 吹口气把你抬起来

往塑料袋里吹气，就可以把坐在平台上的人抬起来。

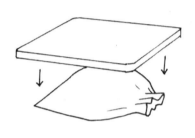

1. 将垃圾袋之类的大塑料袋放在地上，上面放一块木板当平台。

2. 用书将平台的一侧垫高，让孩子坐在平台上，然后向塑料袋里吹气。

3. 很快，孩子所坐的平台就被抬高了。

为什么？

物体单位面积上受到的压力叫做压强。孩子的体重被平台均匀地被分散在了整个塑料袋上，塑料袋上的每个接触点所承受的压强并不大。吹进塑料袋内的气体所产生的压强，一旦大于这个压强，就可以支撑起孩子和平台，把他们抬起来。

如果孩子直接站在塑料袋上的话，就无法抬起他了。

061 纸杯瞬间失重

垂挂在纸杯外边的橡皮擦，会在杯子往下落的时候，掉进杯里。

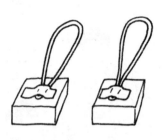

1. 准备两块大橡皮擦，分别用胶带固定在比纸杯略短的两根橡皮筋上。

2. 两根橡皮筋的另一端，则用胶带粘在一起固定在杯底。拉伸橡皮筋，使两块橡皮擦垂挂在杯外。

3. 把纸杯举高后松手，然后赶快接住，这时橡皮擦已经掉进杯子里了。（在较软的家具上演示，如沙发。）

为什么？

在杯子掉落之前，橡皮擦垂挂在杯外，其重量与橡皮筋拉扯的力量相互平衡。当杯子呈自由落体下落时，就处于失重状态，其速度会在重力的作用下越来越快，橡皮筋也会随着杯子落下而越拉越长，其拉力（弹力）也随之增大以致超过橡皮擦的重量，所以橡皮擦就被拉进了杯里。你有没有注意到"橡皮筋拉得越长，弹力就越大"这个原理呢？

062

小洞矫正近视

透过卡片上的小洞来看东西,即使近视的人,也可以看清较远的字。

1. 让近视的孩子,透过卡片上的小洞看窗外一些商店的招牌。

2. 平时不戴眼镜绝对看不清的字,透过小洞竟然看清楚了。

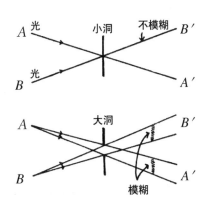

为什么?

透过小洞向外看时,很不可思议的是,即使景物离得很远也能看得比较清楚。因为从物体上的任意一点(如图中的 A、B)反射出来的光线,在通过小洞时汇聚在一起,进入眼睛的光线不会散开,因而在视网膜上的成像也比较清晰。

把硬币吹进碗里

在桌上放一枚1分硬币，在硬币上方用力地吹气，硬币好像会跳舞一般，飞进碗里面。

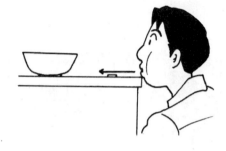

1. 在桌上放一个比较浅的碗，然后在距碗约20厘米远的地方，放一枚1分硬币。

2. 对着碗，在硬币上方沿着与桌面平行的方向用力吹气。

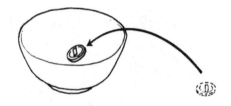

3. 虽然只是在硬币上方吹气，但硬币却像会跳舞一般，飞进碗里。

应 用

只要多练习几次吹气技巧，你就可以抓住要领，就能随意让硬币从一个酒杯飞进另一个酒杯，或是从这个碗跳到另一个碗里去。

为什么？

这是根据"伯努利定理"设计的游戏。当你在硬币上方吹气时，硬币上方的气流会变得较快，因而气压下降。硬币于是就被下面的空气压力抬了起来(但是，如果硬币是湿的，就容易与桌面闭合，硬币下面没有空气就无法做这个实验了)。之后，随着你吹出来的气流，硬币就飞进了碗里。

隧道里的收音机

把正播放着音乐的收音机放进一个用铝箔纸做成的隧道里，音乐声竟然消失了。

1. 用铝箔纸做一个隧道，大小以能盖住收音机为好。

2. 将收音机打开，调好音乐，然后放进隧道里，奇怪的是，音乐竟然停止了。

3. 把收音机从隧道里拿出来，音乐又响了起来。

为什么？

　　电磁波无法穿透金属类导体（如实验中所用的铝箔纸）。由混凝土筑成的隧道，也是这样一种导体，从远处传来的电磁波，到了隧道就会被遮蔽。当你开车进入隧道时，收音机里的音乐会戛然而止，就是这个原因。

065 大风吹不翻名片

名片又轻又薄，但你就是吹不翻。

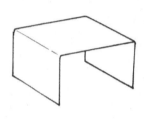

1. 把名片折成像订书钉的样子（也就是"п"的形状），放在桌子上。

2. 近距离对着п下方的开口吹气，不管你怎么用力，名片就像被粘在桌子上一样无法翻动。

为什么？

气流速度越快，气压就越低（伯努利定理）。名片下方的气压降低了，名片外围的大气压力就会将它紧紧地压住，因此就无法吹翻它了。

应用

露营时一旦遇上大风，帐篷就有可能被掀翻。这时候只要顺着风向掀开帐篷，让风穿堂而过，就不用担心帐篷被吹翻了。

忽冷忽热的气球

把吹大的气球贴近脸颊，会有温热的感觉；当气球放气时，又变得冷冷的。

1. 贴着孩子的脸颊吹气球，暖暖的感觉会让孩子很兴奋！

2. 继续让气球贴着孩子的脸，慢慢地放气，孩子会有一种截然不同的、冷冷的感觉。

为什么？

　　给自行车的车胎打气时，打气筒的金属管会变得温热，这是由于空气受到压缩而导致温度上升。

　　气球吹气膨胀的过程中，气球内的空气就不断被压缩，温度也随之升高。

　　相反，放气时，往外蹿的空气带走了热量，温度也就降了下来。

067 吸管线圈团团转

对着吸管用力吹气，里面的线会转出漂亮的圆圈。

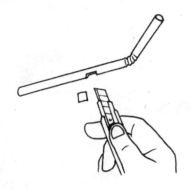

1. 用手工刀在吸管中央切一个小小的四方形口。

2. 把一根 1 米左右的线穿过洞口，并从吸管的尾端穿出，然后结成线圈。

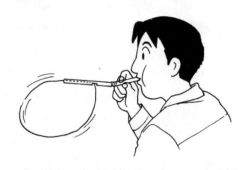

3. 对着吸管口用力吹气，线圈会转出漂亮的圆圈。

为什么？

　　对着吸管用力吹气，让强劲的气流灌进吸管内，这时，吸管内的气压下降(伯努利定理)，吸管外的大气压力于是通过吸管上的四方形小洞，牵引着很轻的线通过吸管往前转。只要气流连续吹过，线就会转出美丽的圈圈。

068 回形针智慧之轮

双手用力拉纸带的两端，夹在S形纸带上的回形针，会别在一起飞出去。

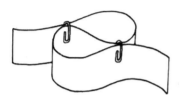

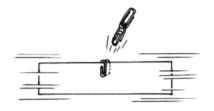

1. 先将纸张裁成3厘米宽的纸带（也可以直接用卫生筷的纸套），然后把它弯成S型，并在如图所示的两个地方用回形针固定。

2. 快速拉动纸带的两端，两个回形针会别在一起飞出去。

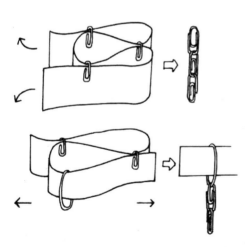

为什么？

轻轻拉动纸带两端，两个回形针会随之滑到一起。这时，回形针还别在纸上。如果再拉住纸带两端用力一扯，纸带产生的剧烈振动会使原本别紧的回形针在一瞬间张开微小的缝隙，这两个已经滑到一起的回形针就会顺势别在一起，并且借助纸带振动产生的弹力向外飞出去。

应用

如左图所示，如果用3个回形针，或是加上一条橡皮筋来试试，游戏会变得更有趣哦！

奇妙的锁链

一个扭成8字形的纸圈，把中间一分为二之后再一分为二，就可以做成一条两环交扣的锁链了。

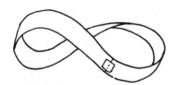

1. 把纸张裁成长条状，拧一下，用胶带固定，做成如图这样的8字形圈圈。

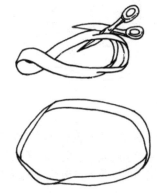

2. 沿着圆圈从中间一分为二，把原本8字形的圈圈变成一个大圆圈。

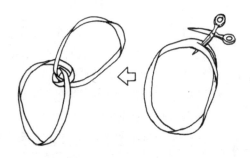

3. 再沿着大圆圈一分为二，就变成两个圆圈相连的锁链了。

应用

请试着在这两个相扣的圆圈上，再分别一分为二，最后会变成4个圆圈环环相扣的锁链。

为什么？

这个游戏运用了立体几何学上的原理。

8字形的圈圈是很奇特的立体结构，因为它没有所谓的正反面，从起点开剪再回到起点结束，自然就会变成比原来的8字形圈圈大一倍的圆圈。再把这个圆圈一分为二，就做成两环交扣的锁链了。

070 喷雾彩虹

背对着太阳，用喷壶喷出水雾，就可以看到美丽的彩虹了！

1. 晴天时，背对着太阳站立，用喷壶喷出水雾。

2. 水雾所到之处可以看到漂亮的彩虹！

为什么？

水雾是由许多微小的球形水滴集聚而成的。太阳光（平行光线）进入水滴内的光线会经过折射、反射、再折射，才被我们看到（见右图）。水对光的折射率因光的波长不同而异，各色光被小水滴折射出的方向也就各不相同，因而会析出红、橙、黄、绿、蓝、靛、紫7种颜色，也就是一般所称的彩虹。紫色光的折射角度比红色光小，由于色光在小水滴内被反射，我们看到的光谱是倒过来的，所以红色光在上，渐次往紫色光变化。（右图是将角度略做夸张处理的示意图。）

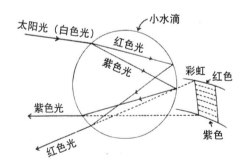

071 自动过滤纱布

把纱布一端浸入一杯泥水，另一端放进一个空杯子里，过一会儿，空杯子里有了一些水，而且都是干净的。

1. 往杯子里加入水，然后混入一些沙土，制成一杯泥水。

2. 把一块纱布卷成长条，一端放进泥水中，另一端放进一个空杯里。

3. 过了一会儿，空杯子里有了一些干净的水，丝毫不带泥沙！

为什么？

纱布一端浸泡在泥水中，水会沿着纱布逐渐爬升，逐渐浸透纱布并从另一端滴出来。纱布中的纤维可以将水吸上来，这称为"毛细现象"。但沙土不能被纱布吸附上去，水和泥沙就此分离开来，因此滴落在空杯子里的水就是干净的了。

塑料袋热气球

072

充气后的黑色垃圾袋,在太阳光的照射下,会像气球一样飞上天。

1. 用手将黑色的大垃圾袋袋口收拢并抓紧,用吹风机往里吹热风,使袋子膨胀起来。

2. 收紧袋口,用胶带固定,用一根长线牢牢地绑住。

3. 拿到屋外,黑色的垃圾袋在阳光的照射下,慢慢上升。(最好选择没有风的广场,比较容易成功。)

为什么?

黑色的垃圾袋很容易吸收太阳光的热,袋里的空气因温度上升而膨胀。袋里的空气膨胀之后密度就变小了,膨胀的袋子因为体积变大,受到的空气浮力则跟着变大,袋子自然就会往上升了。

073 自动调节水杯

你可以为自己做一个可以自动调节水位的水杯，只要倒入杯中的水超过了预定的水位，水就会自己流出来。

1. 在纸杯下方打个洞，插入一根可弯曲的吸管，把它做成倒U形。

2. 慢慢地往杯子里倒入水，水没过吸管之前，一点都不会流出来。

3. 继续加水，当水没过吸管时，就会从穿出杯底的吸管中流出来。

为什么？

由于水的压力，当吸管刚好完全泡在水里时，水会挤进倒U形吸管较短的那截，并与杯里的水位持平。这时不会有水流出来。如果继续注入水，压力增大，吸管里的水就会越过弯曲的部分而流出去。水流出来后，由于虹吸现象，大气压力会继续往外推挤剩下的水，直到杯里的水位降到较短那截吸管口之下才停止。

应 用

如果把插进杯内的吸管固定在杯子的内壁，再用白纸将吸管遮起来，效果会更好。

空气炮

用手拍击打了洞的纸箱，会有旋涡状气流飞出，将烛火吹灭。

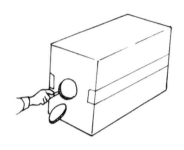

1. 用胶带把纸箱的四周密封好，在纸箱的一端打一个直径 10 厘米左右的洞。

2. 点一把香，将它伸入洞内，让纸箱内充满烟雾，在洞口前方约 3 米的位置，放上一根点燃的蜡烛。

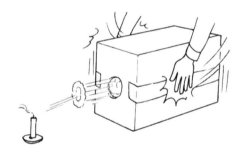

3. 双手在纸箱两侧拍击，会有气流从洞口飞出，将蜡烛的火焰吹灭。

为什么？

用手拍击纸箱时，箱子的体积在一瞬间变小。被压挤出的空气，会呈旋涡状快速涌出（见右图），把火熄灭。

075 上升下沉任我行

你有本事让水里的软塑料瓶上下浮动吗？

1. 在软塑料眼药水瓶中装入一点水，放进水杯里。调整瓶中水位，让眼药水瓶保持在接近水面的位置。

2. 准备一个装满水的大可乐瓶，将眼药水瓶放进去，并盖上盖子。

沉下去！！

3. 一边喊"沉下去"，一边用手挤压大可乐瓶，眼药水瓶果然按着你的命令沉了下去；再喊"浮起来"，同时放松压着大可乐瓶的手，眼药水瓶果然又很听话地浮了起来。

为什么？

用手挤压大可乐瓶时，压力会透过水传到眼药水瓶上，眼药水瓶内的空气体积因为被压缩而变小，浮力因此减小，所以眼药水瓶就会下沉。将手放开后，眼药水瓶的体积又恢复原状，也就浮了起来。阿基米德原理指出，物体在水中浮力的大小等于物体所排开水的重量。

076 瓶中笔

瓶口放一个竹圈，上面再立着一枝笔，怎么让这枝笔不偏不倚、刚好掉进瓶里呢？

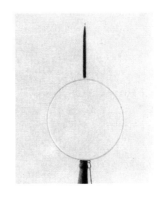

1. 在玻璃瓶瓶口放一个直径15厘米左右的竹圈。

2. 在竹圈的顶点处轻轻放上一枝笔（短铅笔就可以）。

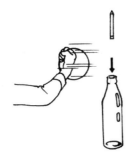

3. 用手握着竹圈，沿水平方向快速地取走竹圈。多练习几次，笔就会正好掉进瓶子里。

为什么？

　　根据惯性原理，在没有外力的情况下，有质量的东西会一直保持原来的运动状态。因此，当竹圈快速地被拿开时，由于惯性，笔在水平方向会保持原来的状态，而在竖直方向会受自身重力的影响，掉到它正下方的瓶子里面去。

　　玩这个游戏的窍门，就在于要把握好拿走竹圈的速度。

077 回力棒

掷出去的回力棒，一定会再回到你的手中。

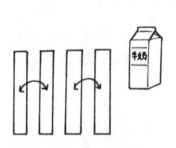

1. 从空牛奶盒上裁下4张长20厘米、宽3厘米的纸板，然后两张一组重叠粘好。

2. 把粘好的纸板交叉成十字形，正反面都用胶带固定，并将两张纸板都折成中央微微凸起的样子，回力棒就做好了。

3. 如左图所示，拿起回力棒，使十字形纸板的凸起处朝向自己的脸，板面垂直于地面，然后将它投掷出去。回力棒会在空中画一个漂亮的圆弧，然后回到你的手中。

为什么？

回力棒被投掷出去时，凸起处表面的气流较快。依据伯努利定理，气流快的地方气压会变小，因此气压差会牵引着回力棒向凸起处的方向飞行，只要投掷时让回力棒的凸起处朝向自己的脸，它自然就会回转到投掷者的方向了。

下编

不可思议的科学游戏

078 毛豆平衡器

日语中，平衡器被称为"弥次郎兵卫"，既是一种平衡玩具，也是科学课堂上常见的教具。你有没有想过，毛豆也可以用来做平衡器呢？

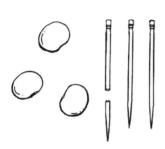

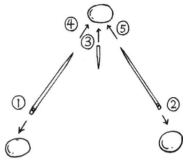

1. 准备3根牙签和3颗大小相当的毛豆。拿出1根牙签，在距离尖端1/3的地方将其折断。

2. 按①②③④⑤的顺序，将牙签与毛豆按照图中所画的方式组合起来，毛豆平衡器就做成啦。

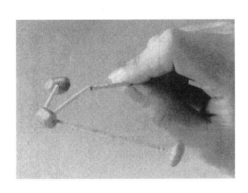

3. 摆放的时候，折断的牙签在上，并用一根牙签轻轻将它支起来。孩子看到平衡器摇摇晃晃又始终保持平衡的样子，一定会很兴奋！

为什么？

平衡器的重心及其支点落在同一条重垂线上。用毛豆和牙签做的这个平衡器，其重心落在正中央的那根牙签下端，垂直向下的延长线上。只要平衡器稍稍倾斜，重心就会偏离重垂线，但此时地心引力会立刻牵引重心恢复原状。于是，重心又会回到重垂线上，重新达到平衡。

应 用

这个游戏中的毛豆也可以用切成小块的橡皮擦来代替。

079 果汁结冰

一瓶很普通的果汁,打开盖子……怎么回事？果汁竟然一下子结冰了!

冷冻室

结冰之前
取出瓶子

1. 准备一瓶100毫升~120毫升的果汁,放入冰箱的冷冻室1小时左右,在果汁快要结冰时取出。(冰箱的功率不同,液体结冰所需的时间也不同。)

2. 让孩子与瓶子保持一定的距离,并让孩子确认瓶中的确是液体。然后,轻轻打开瓶盖,瓶中的液体会突然结冰。

●注意：液体结冰时,体积会增大。因此,放入冷冻室的果汁在结冰时,很可能会把瓶子胀破。另外,某些意外因素也可能使瓶子破裂。所以,为了以防万一,将果汁放入冷冻室前,一定要用塑料袋包起来。注意不能让瓶子靠近脸部。

为什么？

这是液体的过冷却现象。液体的凝固需要一定的固体颗粒作为凝结核。不饱和液体经过降温就会达到饱和,且析出溶质从而凝固。但如果液体中没有凝结核或没有受到扰动,就会出现过饱和现象。当温度继续下降到低于凝固点时,液体仍不能凝固,就形成了过冷却现象。通常水在0℃时就会结冰,但过冷却的水在0℃以下却不会结冰,即使水温降到−10℃也不会结冰。但这种冰冷的液体在受到扰动后,就会立刻从上到下结冰。

080 拉不开的杂志

虽然没有用胶水粘起来，两本杂志却紧密地粘合在一起。

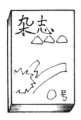

1. 准备两本尺寸和页数都差不多的杂志。

2. 将两本杂志每隔两三页互相交叉叠在一起。

呜

3. 让孩子试着将杂志沿水平方向拉开。可孩子就是拉不开。

为什么？

大气压力会使纸和纸紧贴在一起。纸和纸之间还有摩擦力，虽然每两张纸之间的摩擦力并不大，但整本杂志的纸张之间所产生的摩擦力却很大。

应 用

用一般杂志来表演时，要将每一页都交叠在一起。如果用时尚杂志等纸质较硬的杂志时，只需要交叠1/3或者每隔10页交叠在一起，孩子就无法拉开了。

081

卫生筷架在纸币上

把卫生筷放在直立着的千元纸币（日元）上，卫生筷不会掉落。

1. 将千元纸币（国内读者可以使用面额100元的人民币）对折，直立在桌子上，然后架上一根卫生筷。

2. 捏住纸币的两端，轻轻往外侧拉。

3. 在拉动纸币时，卫生筷会稍稍晃动。当纸币被拉成一条直线时，卫生筷会沿着那条直线稳稳地躺在上面。

为什么？

　　纸币逐渐被拉成一条直线的过程中，会与卫生筷之间产生摩擦。随着纸币逐渐张开，纸币与卫生筷的接触面增大，摩擦力也会逐渐增加。从而加强卫生筷的平衡。当纸币被拉成直线时，卫生筷的重心刚好落在这条直线上。

　　最后，卫生筷就会平稳地架在钞票上了。

　　拉扯纸币时，动作要慢慢的、轻轻的，这样一定可以成功。

082 宣传单的呐喊

将宣传单折起来，用嘴吹，就可以发出惊人的声音。

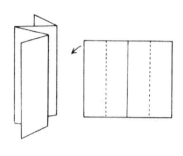

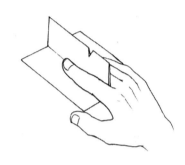

1. 把超市发放的宣传单剪成20厘米长、15厘米宽的长方形纸片，将长边对折再对折，这样就折成了4个部分。

2. 使中间的两部分凸起，与外侧的那两部分呈90度，将外侧的那两部分拼成一个水平面。在凸起部分剪出一个如图大小的洞，用食指和中指将做好的宣传单折页夹起来。

3. 用嘴对着纸上的洞用力吹气，就会发出巨大的响声。

应 用

改变宣传单折页上凸起部分的高度，就能改变声音的高低。即使不剪洞，也能发出一点声音。

为什么？

用力往洞里吹气，两张纸之间就会产生风而抖动起来。这种抖动会引起空气的振动，于是就发出了巨大的声音。

绳子瞬间换位

转眼之间两条绳子就换了位置，这可没耍什么诡计。

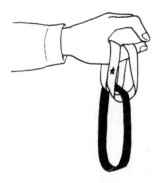

1. 将两条颜色不同的绳子分别结成圆圈，像图中那样套起来。（要想增加演出效果的话，最好用白色和红色的绳子，一般则只要能够看清楚是两种颜色就可以。）

2. 像图中那样用左手将两条绳子提起来，嘴里念一声"变"，用右手的手指捏住★号处，向下拉。

3. 两条绳子立刻交换了位置。

为什么？

　　这个魔术并没有什么特别的技巧。慢慢地拉绳子，注意绳子的变化，你就能发现其中的奥秘。

　　其实，绳子还可以用来变许多有趣的魔术，这只是其中的一个例子而已。

瓶塞叉子平衡器

酒瓶塞和两把叉子都悬在杯子外侧，却不会掉下来。

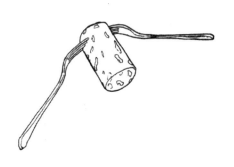

1. 准备一个红酒的软木瓶塞，将两把叉子从瓶塞两侧左右对称地插入。

2. 拿出一个杯子，将瓶塞的一端放在杯沿上，以接触点为支撑点，移动叉子来调整它们的位置，使之保持平衡。

为什么？

　　酒瓶塞和两把叉子做成的这个平衡器，其重心及其支撑点（瓶塞与杯沿的接触点）刚好在一条重垂线上。只要平衡器稍一倾斜，重心就会偏离重垂线，这时地心引力会立刻牵引其恢复原状，于是重心又回到重垂线上，从而保持平衡。

悬空的酒瓶塞和叉子

虽然小指只接触到酒瓶塞的一个点,但酒瓶塞和叉子却能悬浮在空中,不会掉下去。

1. 像图中那样,让叉子从红酒瓶塞上端的侧面插入。

2. 用小指的指甲轻轻顶住瓶塞的下端,轻轻调整它们的位置,使瓶塞获得平衡,看起来就像悬浮在空中一样。

为什么？

瓶塞和叉子这一整体的重心,在它与指甲尖的接触点以下的重垂线上。也就是说,叉子和瓶塞构成了一个平衡器,所以不会掉下去。

086 掉不下来的硬币

手指好像被粘住了一样，动弹不得。

1. 让孩子双手合十，手指张开，在他中指以外的其他 4 根手指之间各夹一枚 1 元硬币。

2. 让孩子夹紧手指，以防硬币掉落，然后让他向内侧弯曲两手的中指，使两根中指的第 2 个关节并拢。

3. 这时，让孩子依次放开夹在大拇指、小指、食指和无名指之间的硬币。只要中指的第 2 个关节不松开，他就无法放松两根无名指，那枚硬币也绝对掉不下来。

为什么？

　　人体中连结骨骼的是韧带和肌肉，我们称之为"连接组织"。无名指和中指之间的连接组织作用特别强，当中指向下弯曲并被固定时，无名指就无法动弹，也就无法放开硬币了。

抬不起来的左脚

孩子无法抬起自己的左脚,一定会很不耐烦地大声问:"为什么?"

1. 让孩子右腿紧贴墙壁站立。

2. 保持这种姿势,然后让他抬起左脚。孩子却怎么也抬不起来。

为什么?

　　人要抬起左脚,必须将身体的重心右移。但在这个实验中,孩子的身体右侧刚好被墙壁抵住了,重心移不开,所以左脚就抬不起来。

　　如果强行抬起左脚,加在右脚上的力就会反过来使身体向左侧倾斜,孩子就会摔倒在左侧的地上。

无法踮起的脚

踮脚是再平常不过的动作了，但如果面向墙壁，就踮不起来了。

1. 让孩子面对墙壁站立，并使脚尖紧紧地抵住墙壁。

2. 让他踮起脚尖，他却踮不起来。

为什么 ?

　　人如果要踮起脚尖，必须将身体的重心前移到脚尖的正上方。在这个实验中，人体的重心必须刚好贴在墙壁上，这当然是不可能的，因此，孩子是踮不起脚尖的。

瞬间缩小的瞳孔

一眨眼的工夫，瞳孔就缩小了。孩子看到自己的身体竟然会不由自主地作出反应，一定会很惊讶。

1. 给孩子一面镜子，让他注视自己眼睛的瞳孔。（也就是黑眼珠中央的深色眼仁。）

2. 打开手电筒从侧面照射孩子的眼睛，孩子会看到镜子里自己的瞳孔迅速缩小。

为什么？

　　人的瞳孔在暗处时会张大，以便尽可能地吸收更多的光线；在明亮的地方却只张开一点点，这样可以阻挡光线，便于看清物体。照相机光圈就是模仿人类的瞳孔制造的。

　　人体有许多有益健康的重要功能，不需要意志控制就能自动发挥作用。特别是人的眼睛，对明暗非常敏感，手电筒一照，瞳孔就立刻缩小了。

090 怎么撞不倒

孩子猛冲过来，爸爸却像一座山一样，巍然不动。

1. 让孩子用力冲向自己。（如果孩子还很小，可以让两个孩子一起来。）

2. 孩子冲过来之前，爸爸要略微下蹲，脚掌用力踩稳。

3. 就算孩子助跑之后再冲过来，爸爸也能稳如泰山。（注意要在不易滑倒的地方进行。）

为什么？

　　人在下蹲的过程中，重心下降，脚蹬地的力量几乎为零，地面顶脚的力也一样。蹲稳之后，两脚用力踩地，使地面和脚互相推顶的力量增加，摩擦力也随之增加，这样就可以承受水平方向上相当大的力量。

　　在相扑比赛中，100千克左右的力士就是用这个方法，承受住体型同样硕大的力士的冲撞。

　　如果孩子冲过来时，爸爸正处在往下蹲的过程中，结果会很惨。而且，孩子也会受到反作用力巨大的撞击，所以一定要特别小心。

091 手掌上有个洞

手掌上有个洞，怎么回事呢？

1. 把挂历纸卷起来当望远镜用。闭上左眼，用右眼看。

2. 让右眼继续看着望远镜，把左手手掌放在左眼的前方，望远镜筒前端的位置。

3. 张开左眼，就会看到左手手掌上有一个洞。

为什么？

　　当我们用一只眼睛看东西时，闭上的那只眼睛也会自动地根据睁开的眼睛所看到的物体调整焦距。这个现象称为眼睛的同步对焦。在这个实验中，当左眼睁开时，它的焦距正好适合看右眼通过望远镜看到的物体，所以看近处的手掌就会变得模糊。

　　至于手掌上会出现一个洞，是由于大脑优先显示了右眼所看到的图像。这与大脑内部复杂的信息处理程序有关。

笔帽套不上

闭上一只眼睛，试着给钢笔套上笔帽。即使小心翼翼地确认距离，还是很难办到。

1. 让孩子将两臂伸直，一手拿钢笔，一手拿笔帽。

2. 让孩子闭上一只眼睛，将笔帽套上，孩子却难以办到。

为什么？

　　人要依靠左右眼的视差来测定自己与物体之间的距离。也就是说，人们用右眼、物体及左眼三点进行"三角测量"。因此，一只眼睛是无法判断出准确的距离的，孩子也就无法成功套上笔帽。

　　看较远的物体时，视差会变小。因此，如果有两个人同时从远处走向自己，我们一般很难判断到底谁离自己近一些。

093 左右手分不清

只要稍微耍点花招，孩子对左右的判断就会发生混乱。

1. 让孩子像图中那样将双手反转后，手指交叉相扣。

2. 将交扣的双手，向内侧转一圈，举到面前。

3. 爸爸对孩子说："我指哪一根手指，你就要立刻将它抬起来。"然后随便指一根手指。可大部分孩子都会抬错手指。

为什么？

双手反转，手指交扣，再向内侧转一圈，举到面前，这一系列动作会混淆孩子对左右的判断。因为这时手指的排列方向，与平时手指交扣举到面前时完全相反。要孩子在一瞬间做出判断，就容易发生混乱。

如果爸爸指的是中指或者无名指，孩子除了会搞错左右手，连中指和无名指也会搞错。

094

换手做做看

左右手分别做不同的动作很容易, 可要突然"换手做做看"却有困难。

1. 让孩子右手握拳敲桌子, 左手手掌摩擦桌面。

右 ←——→ 左

2. "来, 把左手和右手的动作互换一下。"让孩子换手做做看。

3. 听到大人要求换动作的指令时, 大部分孩子的两只手都会同时敲桌子或摩擦桌子。

为什么?

　我们的左右手习惯于做相同的动作。当孩子的右手敲着桌子、左手摩擦着桌子时, 突然要他换动作, 他会不知所措, 结果往往变成双手同时敲桌子或者同时摩擦桌子。但只要练习多次, 就可以顺利地换手做了。

095 水不会泼出来

做了这个实验，就能知道外卖摩托车后面那个外送机的秘密了。

1. 准备一个超市用来装鱼、肉、蔬菜的一次性泡沫塑料盘子，把它平放在塑料袋中。然后像图中那样从塑料袋的4个侧面上各剪下一块，以便看到里面的泡沫塑料盘子。

2. 拿一个杯子，装满水后，轻轻地放在塑料盘子上。(在此之前，让孩子试着移动一下杯子，让他知道要保持杯子里的水不泼出来有多么困难。)

3. 将塑料袋拎起来随意走动。虽然直接用手挪动杯子时，水很容易泼出来，但塑料袋中的那杯水却完全不会泼出来。

为什么？

　　塑料袋能够吸收由于手的抖动而产生的振动。当用手拎起塑料袋时，横向的摇动就变成了以拎塑料袋的手为中心的钟摆运动。杯中的水在离心力的作用下，能够使水面与杯子的底面保持平行，所以水不会泼出来。

　　外送机的结构更加复杂。外送机内装有空气弹簧，可以吸收各个方向上的振动，并利用离心力，使外送机底板随时与地面保持平行。

110

096 倒吊酒杯

特别注意：如果失败了，千万不要让碎玻璃扎伤孩子。

1. 从旧的塑料垫上剪下两块边长10厘米的正方形，然后拿两个吸盘式挂钩分别吸在这两块正方形塑料垫上。

2. 拿两只酒杯，装满水，然后将塑料垫盖在杯子上，并使塑料垫上的挂钩刚好在杯口的中央。

3. 拿起其中一只杯子，用手轻轻压住上面的塑料垫，慢慢倒置，使两个钩子挂在一起，往上一提，就可以吊起另一只杯子。（为了以防万一，最好在一个装满水的大水桶上方进行。）

为什么？

由于水有表面张力，可以让塑料垫与杯口完全闭合。此时，外界的大气压力使得吸有挂钩的塑料垫和酒杯成为了一个整体，自然可以用钩子将这两个整体挂在一起了。这个实验可以让孩子深刻地认识大气压力的作用。

097 鸡蛋躺在杯沿上

刚才还在桌上打滚的鸡蛋，现在竟然可以躺在细细的杯沿上。

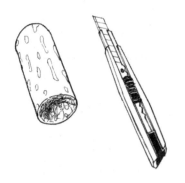

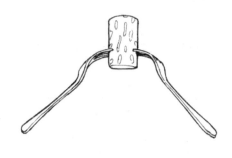

1. 准备一个红酒的软木瓶塞，用手工刀在其中一端挖一个凹面，使之和鸡蛋的曲线吻合。

2. 让软木塞的凹面向下，用两把大叉子左右对称地插在瓶塞的腰部。（叉子会因为自身的重量而下垂，不必在意。）

3. 鸡蛋横放，把插好叉子的瓶塞放在鸡蛋上，然后把它们一起放在杯沿上。稍稍调整鸡蛋与酒瓶塞的位置，一定可以使鸡蛋稳稳地躺在杯沿上。

为什么 ❓

鸡蛋、瓶塞和两把叉子组成了一个平衡器。它们的重心落在鸡蛋与杯沿的接触点下方的重垂线上。这个实验的原理与第84个游戏（瓶塞叉子平衡器）相同，鸡蛋就这样躺在杯沿上了。

应 用

操作熟练之后，也可以让鸡蛋直立着站在杯沿上，甚至让它较小的那一端向下，在杯沿上倒立。

098 滴水不漏的漏斗

漏斗的导流口明明没有封住，水却不会漏出来。

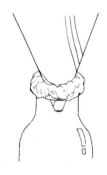

1. 将挂历纸等比较硬的纸卷成上口径3厘米左右的圆锥，做成漏斗，在接缝处用透明胶带固定。（漏斗的导流口不要开得太大，否则无法成功。）

2. 准备一个空瓶子，用浸湿的面巾纸把瓶口堵起来，再稍微用力将漏斗塞入，注意不要留有缝隙。

3. 拿一个大杯子装满水，一下子倒入漏斗。刚开始时，会有一点儿水漏入瓶子，但水流逐渐变小，最后就滴水不漏了。

为什么？

除了漏斗下面的导流口，瓶子的其他部分都处于密闭状态。当大量的水一下子倒入瓶中时，瓶子中的空气就会受到挤压。随着水的继续流入，瓶中的气压会进一步增大，直到足以将导流口处下漏的水顶回去。同时，导流口的水的表面张力也在不断增加，因此水就被堵在导流口，无法下漏。

如果沿着漏斗壁将水慢慢倒入，水流就会畅通无阻了。

099 大可乐瓶里有喷泉

把大可乐瓶倒过来，瓶中就出现了喷泉。

橡皮筋

1. 准备一长一短两根吸管，在长吸管的一端用橡皮筋套紧，使吸管口变小。

2. 在大可乐瓶中装半瓶水，用浸湿的面巾纸塞住瓶口，再按照图示将两根吸管插入大可乐瓶中并固定。注意要将大可乐瓶瓶口密闭。

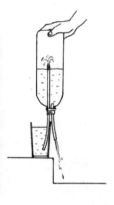

3. 拿一个杯子装满水，然后将大可乐瓶倒置，把长吸管插入水杯中。这时，短吸管开始滴水，同时在大可乐瓶中就会出现喷泉。

为什么 ?

短吸管不断滴水，瓶子里的空间就不断增大，气压随之下降，此时，外面的大气压就会通过长吸管把杯子中的水挤进瓶子里，于是，就出现了我们看到的喷泉。

114

100 制作食盐晶体

孩子可能对晶体没什么概念，看到盐水蒸发后留下的四方形晶体时，他一定会很惊讶。

饱和食盐水

盐

1. 准备一杯水，加入食盐，直到食盐无法继续溶解。这样就做成了一杯饱和食盐水。

2. 将饱和食盐水倒入一个浅盘，放置一星期左右。（做这个实验需要耐心。）

3. 几天之后，盐水逐渐蒸发，盘子里就会析出四方形的食盐晶体。这些晶体没有经过任何切割，却都有着完美的直角，真是不可思议。

为什么？

　　水会蒸发，但溶于水的食盐无法全部跟着水被蒸发到空气中，于是就形成了晶体。构成食盐（氯化钠）晶体的是由氯原子和钠原子排列而成的一种"面心立方晶格"构造，这种晶体构造有着完美的直角。

101 乒乓球散步

用水给乒乓球套个围脖，然后牵着它去散步。

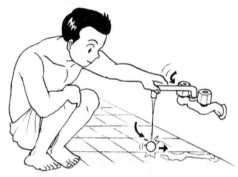

1. 打开浴室的水龙头（必须是可以活动的水龙头，或者接上软管），将乒乓球放在水流的正下方。乒乓球会轻轻地晃动，但是不会被水冲走。

2. 稍微移动一下水龙头或软管，乒乓球会跟着水流跑。

为什么？

　　水流动时，会与周围的空气产生摩擦，水柱表面的水流速度会因此减缓；越接近水柱中心，流速越快。根据伯努利定理，流速越快的地方，压力越低。而处于水流中的物体，会自动向低压中心移动，就像被吸入中心一样。因此，乒乓球会停留在水流下方。稍微移动水龙头或软管时，乒乓球会跟着向水流中心移动，好像被水流牵着跑一样。

102 水丸子

没想到水龙头还可以做出"水丸子"，实在令人意外。

1. 打开水龙头，尽可能将水流调成细细的一股。

2. 将食指的指腹放在水流下，并顺着水流逐渐向上移。

3. 当手指距离出水口3厘米～4厘米时，水流的形状开始变成锯齿状；手指继续向上移动，就能看见水流变成了一串"水丸子"。

为什么？

当手指距离出水口3厘米～4厘米时，相当于是手指托住了水流。手指和水龙头之间水的体积是相对固定的。因此在手指上移的过程中，水流会膨胀，在水的表面张力作用下，细细的水流就鼓成了一个个水丸子。

当手指与水龙头非常接近时，它们之间会形成一个水丸子；手指下移一点距离，就会出现一串水丸子。这是因为随着手指的上下移动，水的表面张力也在不断变化，就形成了不同数目的水丸子。

在只有一个水丸子出现的位置，将手指逐渐向下移动，就能看见两个体积缩小一倍的水丸子；继续向下移动，就会形成3个体积只有原来的1/3的水丸子。

镜子变清晰

有水蒸气时，浴室里和洗脸台前的镜子很容易起雾。这时只要擦上肥皂洗一洗，镜子就可以变清晰了。

1. 最好找一块旧镜子。因为旧镜子只要一遇到水蒸气就会立刻起雾，这样会使实验效果更加显著。在起雾的镜子上，擦上一层薄薄的肥皂。

2. 用清水冲洗干净，镜子立刻变得很清晰。

为什么？

相信很多人都用肥皂洗过镜子，但大家多半以为是水把镜子洗干净了。

镜子起雾是由于小水滴在其表面引起了漫反射。镜面上有污垢时，反而不容易被水沾湿，因为这时镜面具有疏水性，水蒸气形成的水滴会附着在镜面的污垢上，形成凹凸不平的表面，从而造成了反射光线往不同的方向无规则地反射，这就是光的漫反射。为镜子擦上肥皂，使镜面上的污垢褪去，水滴与水滴得以处在同一平面从而连结在一起，形成了一层薄膜。这时的镜面就转而变得具有亲水性了，因而抑制了光的漫反射。

只用手擦一下，无法清除镜子上的污垢。只有用肥皂将镜面洗干净后，镜子才能变得清晰。

104 肥皂泡中看彩虹

覆在杯口的肥皂膜上，可以看到美丽的彩虹。

1. 打一盆水，滴入几滴洗发香波，搅动一下制成肥皂液。

2. 拿一个塑料杯，将杯口浸入肥皂液中，然后拿起。

3. 用灯光照射杯子，就可以在杯口的肥皂膜上看到美丽的彩虹，彩虹还会流动呢。

为什么？

灯光是由各种波长不同的光组成的。灯光穿过杯口的肥皂膜照到杯子内壁，杯子内壁反射的光穿过肥皂膜射出时与肥皂膜表面反射的光产生了叠加，就造成了光（颜色）的干涉，使各色光的路径不同，且长短不一，就形成了彩虹。

灯光刚照到肥皂膜上时，并不容易看到彩虹，那是因为肥皂膜太厚，无法产生干涉现象。过一段时间后也不能看到彩虹，那是因为肥皂膜太薄，无法产生干涉现象。

专栏 4 科学家的青年·富兰克林

发现"闪电是一种放电现象"的富兰克林不仅是一位优秀的科学家，还是一位为美国独立做出重大贡献的伟大政治家。

富兰克林之所以能够为后世留下许多宝贵的遗产，完全归功于他青年时代的努力。他的一生都在不断向人们阐述"努力"的重要性。

12岁时，富兰克林就到哥哥的印刷厂做学徒，他暗地里默默地练习写文章，还自修了数学、哲学等科目。

23岁，富兰克林成了一名活跃的新闻记者。后来他自立门户，开始办报纸。

1752年，富兰克林从著名的风筝实验中，得出了"闪电是一种放电现象"的重要结论。

1776年，他被推选为美国《独立宣言》的起草委员会成员。

在青年时代，富兰克林并没有表现出惊人的天分和杰出的才华。他成功的唯一秘诀，就是"努力"。

只有踏踏实实地不断努力，才能有伟大的发明和惊人的创造。让我们在认识这条真理的同时，尝试一下富兰克林的电动机实验吧。

把一个塑料杯拦腰剪去一半，然后在杯壁外侧每隔 1 厘米粘一条铝箔纸；把一根竹签固定在橡皮擦上，杯子倒扣过来，用竹签支起来，电动机的转动装置就做好了。再拿一个塑料杯，剪两条大小适当的铝箔纸粘在杯子外侧（让其中一条靠近 B 点，但不要接触），然后在外面再套一个塑料杯，并用铝箔纸包起来，这样就做成了一个电容器。接着剪一条长铝箔纸，像图中那样，使它的一端与电容器相连，另一端粘在玻璃瓶上，接近电动机的转动装置（A 点），但不要接触。

用面巾纸摩擦塑料棒后，靠近电容器的铝箔条，电容器就会充电，同时不断放出负电荷，同性相斥，于是就会带动那半截塑料杯旋转起来。

这项实验的最大敌人是湿气。如果不是干燥寒冷的冬季，这项实验很难成功。

105 对半切开，却不一样重

从平衡点将胡萝卜切开，两部分却不一样重。

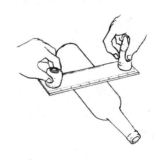

1. 将胡萝卜的叶子切掉，把它横架在玻璃瓶上，稍作调整使之平衡。在其支点做一个记号，然后从记号处将胡萝卜切开。

2. 将一把尺子横架在瓶子上，使之平衡。把切成两半的胡萝卜放在尺子的两端。

3. 孩子多半以为尺子一定可以继续保持平衡，但实际上却是放着胡萝卜头的那端下沉，另一端翘起。

为什么？

　　刚开始时，整根胡萝卜之所以能够保持平衡，并不是因为左右两部分重量相等，而是由于"左边的重量×左边的重心到支点的距离"与"右边的重量×右边的重心到支点的距离"相等，这两个乘积所代表的物理量称为"力矩"。当胡萝卜取得平衡时，左右两边力矩相等。但尾部那端的重心到支点的距离较长，所以尾部那端的重量就会轻一些。

应 用

　　白萝卜的体积比较大，但也可以试试看，称一称平衡支点的左边和右边的重量，看看是不是符合上面介绍的原理。

磁铁浮在半空中

即使孩子知道磁铁同极相斥的特性,但他看到一块磁铁悬浮在另一块磁铁上方时, 还是会十分惊讶。

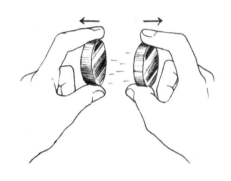

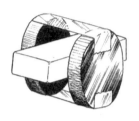

1. 找两块磁性较强的磁铁, 使同极的两个面相对, 这时两者相斥。

2. 在这两块磁铁可以产生排斥作用的距离内, 将适当粗细的铅笔或橡皮擦夹在磁铁之间, 然后用透明胶带固定。

3. 将磁铁放在桌上, 抽出其中的铅笔或橡皮擦, 就可以看到上面的磁铁浮在半空中。

为什么?

　　磁铁悬浮在空中, 是因为磁铁具有同极相斥的特性。因为透明胶带阻止了磁铁的移动, 否则磁铁就会跳开, 或者翻转过来吸在一起。

107 用火柴棒做天平

火柴燃烧时，重量就减轻了。火焰里有什么东西呢？

1. 把铝箔纸卷成一根细棍儿，做成天平的横梁。在横梁两端各绑上一根火柴棒，并使其头部朝下。

2. 在横梁上拴一根绳子，将天平吊起，并调整位置，使之平衡。

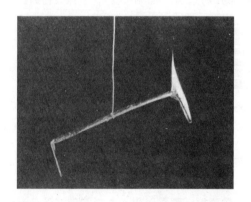

3. 点燃其中一根火柴。火柴燃烧时，天平会向另一端倾斜。（为安全起见，最好在天平下面放一盆水，还要注意附近不能有易燃物。）

为什么？

　　火柴头的成分是碳、硫磺、氧化剂、氯化钾等的混合物，摩擦就可以引燃。燃烧后，这种混合物就会变成二氧化碳和二氧化硫气体散发到空气中，所以火柴棒就变轻了，而未点燃的火柴棒重量没有变，所以天平就向后者倾斜。

108 用火锅食材做平衡器

这个游戏非常简单，而且是用食物做材料，可不要浪费哦。

1. 不用刻意安排,在自然条件下做实验效果才理想。所以,不必为了做实验买食材,等家里吃火锅的时候再做这个实验就可以了。

2. 准备两根卫生筷,其中一根在 1/4 处折断,另一根对折。

3. 将 1/4 长的那截卫生筷和对折得到的那两截 1/2 长的卫生筷分别插入鱼丸等比较密实的火锅食材中,将短的那根作为支撑棒,长的那两根作为平衡臂插在鱼丸两侧,平衡器就做好了,让它站在锅沿上吧。(要注意燃气炉和热锅,小心烫伤。)

为什么？

这个实验的原理与第 78 个游戏（毛豆平衡器）完全相同。平衡器的重心落在支点以下的重垂线上,即使稍微倾斜,地心引力也会立刻牵引重心回到原来的位置,重新达到平衡。

109 5角硬币金灿灿

本来黑糊糊的5角硬币一下子就变亮了！孩子看到一定会乐得手舞足蹈。

1. 找一枚旧的黑糊糊的5角硬币，往盘子里倒一些醋，使之淹没。

2. 稍等片刻，将5角硬币取出来，用面巾纸擦干净，5角硬币马上变得金灿灿的。

为什么？

5角硬币之所以会发黑，是因为硬币表面的镀铜在空气中被氧化，形成了黑色的氧化铜。醋所含的醋酸和氨基酸，可以与氧化铜发生反应，除去氧化铜，5角硬币就变亮了。

应用

可以用其他醋类调味品代替，因为它们也含有醋酸和氨基酸。

110 食盐水冒气泡

只要有电池和铝箔纸，就可以制造出氯气和氢气。

1. 往杯中倒水，八分满，加入3匙～4匙食盐，调成食盐水。

2. 准备一节1.5伏的电池，将铝箔纸搓成两根长度适宜的细棍儿，分别固定在电池的两极，作为导线。

3. 将导线插入食盐水中，连接着电池负极的那一端会冒出大量气泡。

为什么？

　　这是电解食盐水的实验。从负极冒出的气泡是氢气；正极也会冒出一种气体，是氯气，但氯气溶于水，肉眼几乎无法看到。如果把鼻子凑近一点，可以闻到一股刺激性气味，这就是氯气的气味。两个电极的电解方程式是这样的：正极是 $2Cl^- - 2e^- = Cl_2\uparrow$，负极是 $2H^+ + 2e^- = H_2\uparrow$。整个反应的化学方程式是：$2NaCl + 2H_2O \xrightarrow{\text{通电}} 2NaOH + H_2\uparrow + Cl_2\uparrow$。另外，用一节电池做实验，即使手指接触到铝箔纸与电池的连接点，也没有危险；而一旦用上两节电池，就会有触电的危险，请特别注意。

111 空气电池

打开冰箱，从除臭剂的袋子里拿一点活性炭，再把手电筒里的小灯泡拆下来，然后调制一杯食盐水，就可以做电池喽！

食盐水　活性炭

1. 找4个铝箔纸做的蛋糕底杯，往其中3个底杯倒一些活性炭，盖住底面即可，然后加一小匙食盐水。

2. 把这3个蛋糕底杯摞起来，再将第4个空底杯放在最上面。用铝箔纸搓成两条导线，分别与最上面和最下面的蛋糕杯连接。可以用食盐瓶等重物压住，帮助固定。

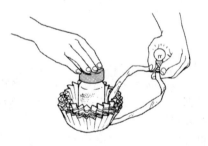

3. 将其中一条铝箔导线缠在小灯泡螺纹接口的腹部，另一条连接接口底部，并用力压下食盐瓶，这时小灯泡就亮了。

为什么？

　　只要有释放电子的物质和接受电子的物质存在，就能产生电能，也就可以制作电池。铝箔蛋糕杯中的铝溶于食盐水，释放出电子；活性炭中有许多微小的洞，其中的空气所含的氧气可以接受电子。因此，这些电子形成电流，使得小灯泡发亮。由于这种电池靠的是活性炭中的空气接受电子以产生电能，所以称之为"空气电池"。活性炭为正极，铝箔蛋糕杯为负极。

112 木炭发电

烤肉用的高级木炭，常常被我们用来除臭和净水。此外，它还可以使小灯泡发亮。

用食盐水浸湿的面巾纸

铝箔纸

1. 准备一块木炭，用食盐水将面巾纸浸湿，然后包在木炭外侧，再在外侧包一层铝箔纸。

2. 另拿一张铝箔纸搓成一条导线，将导线的一端用透明胶带贴在铝箔纸上，另一端缠在小灯泡螺纹接口的腹部。

3. 使劲用木炭按压小灯泡的接口底部，并握紧木炭外面包的铝箔纸，小灯泡就会发亮。

为什么？

　　这个实验与第111个游戏（空气电池）的原理相同。利用木炭中小洞里的氧气接收电子，形成电能，做成了空气电池。木炭是正极，铝箔纸是负极，产生的电流在200毫安左右。

　　高级木炭是由橡木在超过1 000℃的高温下长时间加热制成的，质地很硬，敲打时会发出清脆的声音。请注意这个实验只有使用高级木炭才能成功。

113 5色鸡尾酒

按顺序将5种不同的液体倒入杯中，就会形成5层，制成一杯漂亮的彩虹鸡尾酒。

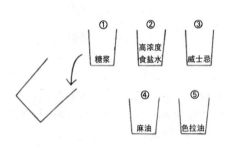

1. 准备糖浆、高浓度的食盐水、威士忌、麻油、色拉油5种不同的液体。依次沿着玻璃杯壁缓缓倒入倾斜放置的杯中。（如果能在糖浆和食盐水中加一点食用色素，颜色会更漂亮。）

2. 杯子中的5种液体不会混合在一起，还会依次分层。

为什么？

　　之所以可以形成5个层次，是由于不同的液体有着不同的密度。
　　依次将液体倒入杯中时，密度较大的会沉在下面，密度较小的则浮在上面。糖浆、高浓度食盐水、威士忌、麻油、色拉油这5种液体的密度依次减小，因此可以依次分层。

114 铝箔纸章鱼

用面巾纸摩擦吸管，然后靠近铝箔纸章鱼的头部，章鱼的触腕就会舞动起来。

1. 用铝箔纸来做章鱼的头部和触腕。像图中那样，将铝箔纸剪成整齐的细条做成触腕，这样实验更容易成功。

2. 将触腕绑在章鱼的头部之下，用透明胶带固定。找一根橡皮筋，从中间剪开，一端贴在章鱼的头顶，另一端固定在桌边上，把章鱼吊着。

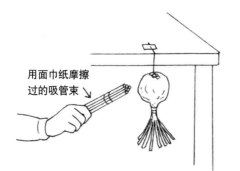

用面巾纸摩擦过的吸管束 ↓

3. 把三四根吸管绑在一起，用面巾纸摩擦吸管束，然后靠近章鱼的头部，章鱼的触腕就开始活动起来。

为什么？

　　用面巾纸摩擦吸管，吸管表面就会聚集大量负电荷。铝箔是一种金属导体，当吸管靠近铝箔纸做成的章鱼头时，会产生静电感应现象，吸管上的负电荷会把铝箔纸章鱼身上的正电荷吸引到头部，负电荷则被排斥到了章鱼的触腕。于是，章鱼的触腕之间因为都带负电荷而互相排斥，开始张牙舞爪起来。

115 音调可高可低

先入为主的成见往往容易令我们犯错误,这个实验也许可以让孩子明白这一点。

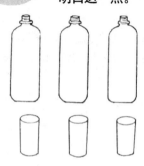

1. 准备3个相同的大可乐瓶和3个相同的杯子。

2. 往3个大可乐瓶中分别装入不同水位的水,然后用嘴对着装有较少、中等和较多水的大可乐瓶瓶口依次吹气,就会听到瓶子发出低、中、高的声音。

3. 再往3个杯子中装入不同水位的水,这次用筷子依次敲击,装水较少、中等和较多的杯子却会依次发出高、中、低的声音。

为什么?

　　往大可乐瓶瓶口吹气时所发出的声音,是由水面上方的空气产生共鸣所致。当瓶中的空气所占空间较大时,会产生低音共鸣;空气所占空间较小时,会发生高音共鸣。因此,随着水位的增高,可以依次吹出低、中、高的音调。

　　而用筷子敲打杯子时,是杯子整体振动导致了声音的产生,这种声音会与杯中的空气产生共鸣。当杯子中的水较多时,杯子整体的振动变慢,因此音调比较低。相反,杯中的水较少时,音调就会比较高。随着杯子中的水逐渐增多,筷子就能依次敲出高、中、低的音调。

法拉第发现了著名的电磁感应定律,发明了发电机,被誉为"电磁学之父"。小时候,法拉第家里非常贫困,几乎无法供他上学。他不得不在10多岁时,到书店里做装订学徒。

当时,他对自己装订的科学丛书产生了极大的兴趣,如饥似渴地阅读这类书籍,这使得法拉第立志要走科学之路。

有一次,在店内一位老顾客的引荐下,法拉第去听了一场公益讲座,主讲人是英国皇家研究所的戴维教授。这位教授后来成了法拉第的老师。

法拉第十分详细地记录了戴维教授的讲座内容。之后,他写了封求职信给戴维教授。很快,他就成了戴维教授的实验助手。据说随信所附的那份笔记,令戴维教授大为感动。

1820年,奥斯特发现了电流的磁场,法拉第也对此产生了极大的兴趣。

"电流可以产生磁场,那么磁场也应该可以产生电流。"在这种信念的驱使下,他每天苦思冥想,并做了大量的实验。经过7年的努力,终于发现了电磁感应定律。

虽然法拉第连小学都没有读过,但最后却成为英国皇家研究所的教授,是崇高志向帮助他克服了这些障碍。

成名以后的法拉第,丝毫不为地位和名誉所动,每年圣诞节他都要为青少年举行演讲。后世的科学家们继承了他的做法,至今这种圣诞节的科学演讲已有170多年的历史了。

下页图中的回形针电动机,就利用了法拉第发现的电磁感应定律:磁铁可以对电流施力。在磁铁附近,放置一个线圈,使它处于磁铁的磁场中。用回形针将电池和线圈连起来,使电流通过线圈,通电后的线圈受到磁场的作用力就会开始转动,这就做成了一个电动机。刚开始时,可以用手指稍微拨动线圈,之后它就可以顺利转动了。

一般线圈用的都是绝缘性极佳的漆包线,但家庭中不大可能常备这种东西。

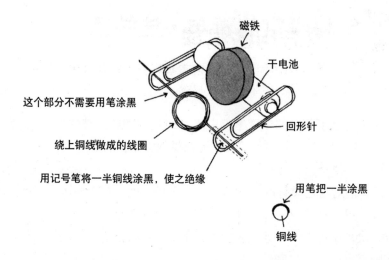

磁铁

干电池

这个部分不需要用笔涂黑

回形针

绕上铜线做成的线圈

用记号笔将一半铜线涂黑，使之绝缘

用笔把一半涂黑

铜线

如果能找到图中那样的铜线当然最理想；如果没有铜线，用铝箔纸代替也可以。

将铝箔纸搓成细条做成导线，绕在直径2厘米的线圈上，然后用笔将导线尾部的一部分涂黑，使之绝缘。最后再通上电，电动机就会转动起来。

116 反方向的气球

开车去游乐园玩时，常常看到有人在路边卖氢气球。不妨买一个，可以用来做科学游戏。

1. 将车窗都关起来，让孩子握着气球的绳子，不要让气球碰到车顶和车窗。

2. 当车子遇到红灯或障碍物突然停下来时，人往往会向前倾，但这时气球却往后飞。

3. 等到车子再度前进时，人往往会向后倾，但这时气球却向前飞。(不能为了让孩子看清气球的动向，而故意突然前进或者急刹车，以免造成危险。)

为什么？

汽车中的空气是有一定质量和密度的。车子突然停下来时，因为惯性，人会向前倾，空气也一样。而氢气球内氢气的密度小于空气，所以会在反作用力的推动下向后移动。同样的道理，当车子发动时，人会往后倒，空气也会向后移动，氢气球就会在反作用力的推动下向前移动。

117 月亮跟着人跑

这实在是一个司空见惯的现象，以至于爸爸30年来都不以为意，但对孩子来说，却是不可思议的新发现。

1. 无论白天还是黑夜，只要可以从火车或汽车的车窗看到月亮，就可以开始做这个游戏了。在孩子面前，爸爸向天空念咒语："月亮啊，请跟着我走！"

2. 于是孩子会看见车窗外的树木和电线杆不断远去，但月亮一直跟着自己跑。

为什么？

为什么月亮会一直跟着人跑？这是因为月亮距离地球38万千米，使得来自月亮的光几乎都是平行光线。全国的人在同一个时间内，几乎都可以看成在同一个位置上遥望月亮。即使火车或汽车走了一段距离，比起地球与月亮之间的距离，简直可以忽略不计。因为月亮相对于我们仿佛一直处于相同的位置，我们当然就觉得月亮在跟着跑了。

118 薯片袋子鼓起来

有一种无形的力量让薯片的包装袋胀得鼓鼓的。

1. 带孩子坐飞机前，先到商店买一包薯片或类似的密封袋包装零食。

2. 当飞机在空中水平飞行时，请注意观察薯片的包装袋，它一定胀得鼓鼓的。

为什么？

当飞机的飞行高度到达1万千米时，机舱外的气压很低。为了防止机身膨胀破裂，机舱内的压力会减至0.8大气压。而薯片包装袋中的气压仍然是地面的气压——1.0大气压。薯片袋内的空气有向外扩张的趋势，于是就把包装袋撑起来了。

在大约1万千米的高空，飞机外的气压其实低于0.8大气压。但如果机舱内的压力低于0.8大气压，就会对人体造成不良影响。可是，机舱内所维持的0.8大气压，不就比机外气压高了吗，为什么不用担心飞机被撑破呢？这是因为飞机机体材质有一定的耐压强度，可以承受机舱内外的气压差。

119 美丽的彩虹

用十分简单的方法，我们就可以给孩子做一道彩虹。

1. 脸盆中装满水，靠着盆壁放一面镜子，调整镜子使之朝向太阳。

2. 拿一张白纸，让阳光反射到白纸上，调整镜子和白纸的位置，就可以看到白纸上出现了美丽的彩虹。

为什么？

阳光是由许多波长（颜色）不同的光组成的。波长不同的光在水中的折射率也不同，蓝色光被水折射的角度，比红色光小（如右图）。从水中镜子上反射的太阳光线透出水面后，就会分散开来，在白纸上排列出彩色光谱。

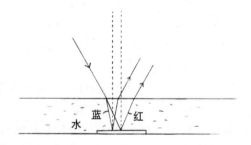

铁砂整齐排列

要是去有沙滩的河边或海边玩，一定要玩一下这个游戏。很多孩子想都想不到这些地方也会有铁砂。

1. 拿一块磁铁，套上一个塑料袋，伸入沙子里。

2. 很快，就会有铁砂吸附在袋子外侧。在袋子下面放一张纸，取出磁铁，铁砂就会掉到纸上。重复这个过程，可以收集到不少铁砂。

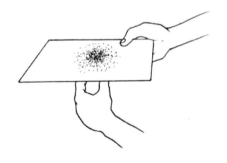

3. 将铁砂倒在白色的垫板上，拿一块圆形磁铁放在垫板下面，就可以发现铁砂排成了圆形。

为什么？

　　铁砂排成的圆形其实是磁铁磁力线的轨迹。因为铁砂的主要成分是铁，能够被磁铁吸引，所以它会沿着磁铁磁力线的方向排列。

121 树木倒影逐渐变小

和孩子一起去划船时，在船上也可以做游戏喔！

1. 坐在船上，可以看见湖边的树木在湖面上投下了很大的倒影（确切地说，是倒立的像，而不是影子）。让孩子用力朝树的方向划，也就是向岸边划。

2. 随着船逐渐靠近，树木的倒影逐渐变小，但船永远都无法划到倒影中去。

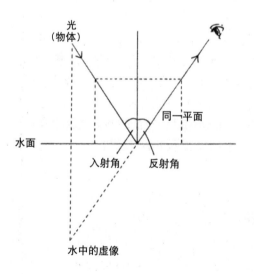

为什么？

倒影是光被水面反射后进入人眼的虚像。如左图所示，当人看到物体在水面的倒影时，来自物体的光线与其反射光线处于同一平面，且入射角与反射角相等（反射定律）。树木顶部发出的光线，虽然方向各不相同，但只有那些符合反射定律的光线才能被我们看见。因此，船的位置决定了我们可以看到哪个角度的光。随着船慢慢靠岸，来自树木顶部的光的入射角和反射角都在渐渐变小，但不会变成零。所以，虽然我们感觉映在水面上的树木越来越近，却永远无法把船划到倒影中去。

122 用时钟测方位

虽然没有指南针，但只要有阳光，时钟就可以告诉你哪里是南方。

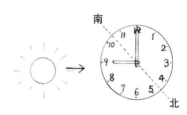

1. 将时钟平放，在其短针的前端竖一根小树枝，使树枝的影子刚好与短针重叠，这时短针刚好指向太阳。

2. 这时，短针与12点刻度线成角（较小的角）的二等分线就是南方。请注意在清晨6点以前和傍晚6点以后，南方则位于较大成角的二等分线方向上。

为什么？

　　地球24小时自转一周，所以太阳相对于地球每小时向西移动15度。时钟上的时针是12小时转一圈，即每小时移动30度，比太阳的移动快了一倍。所以在估测方向的时候，将时钟平放，把时针对准太阳，时针与12时刻度线的夹角的二等分线所指的才是南方。中国大部分地区位于北回归线以北，正午12点时，太阳在正南方。以上午9点钟为例，此时太阳还未移到正南，只移动到东偏南45度的位置。这时将时钟上9点的时针指向太阳的方向（即东偏南45度），那么时钟上12点的刻度相应地向南移动，指向南偏西45度。这样，时针与12点刻度所成角的二等分线就指向正南方。

　　这一计算方法与时区有关，中国统一使用的是东八区的时间，但实际上有些城市并不位于东八区。如成都，按标准时区计算的时间应比北京晚1小时，所以在用这一方法计算时应该将时间拨慢1小时。

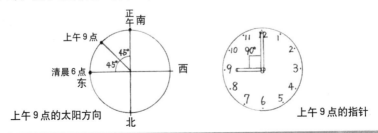

上午9点的太阳方向　　　　　　　　上午9点的指针

123 厨房变舞台

洗碗槽中不断冒出白烟,好像舞台烟火一样,孩子一定会喜欢这种梦幻般的情景。

1. 往洗碗槽内放水,然后放入干冰。(不能直接用手触摸干冰,要用夹子夹,或戴上厚手套再拿。)

2. 洗碗槽会浮起阵阵白烟。白烟慢慢地溢出洗碗槽,但却不会上升,而是盘旋在洗碗槽的底部。

为什么?

　　干冰是二氧化碳气体在高压低温条件下制成的固体,它的温度在-80℃左右。二氧化碳在标准大气压和常温条件下无法再保持固体形态,因此,当干冰放入水中时,立刻就变成了二氧化碳气体。

　　但我们看到的白烟并不是二氧化碳气体,二氧化碳气体是无色无味的。制作干冰时会把空气中的微粒也封闭在低温的二氧化碳固体中,当干冰受热,转化成为二氧化碳气体时就会有小液滴或小冰块形成,并附着在这些微粒上,这就是我们看到的白烟。二氧化碳的密度比空气大,无法上升,所以白烟也无法上升。

124 蜡烛熄灭了

明明只是倒了一些白色的烟，蜡烛的火焰却熄灭了。用这招把生日蛋糕的蜡烛熄灭，一定会让孩子乐不可支。

1. 点燃一枝蜡烛，将它放在盘子上。

2. 拿一只杯子，装入少量的水，丢入一小块干冰。（注意不能用手直接触摸干冰。）

3. 将杯子里产生的白烟倒在火焰上，火就熄灭了。（小心！别烫着。）

应 用

没有干冰时，将小苏打（碳酸氢钠）放入杯中，再倒些醋，也可以产生二氧化碳。

为什么？

干冰释放的二氧化碳气体密度大于空气，所以，当杯子倾斜时，二氧化碳就会流出。烛火被二氧化碳包围起来了，空气中的氧气无法接近，火焰就会因氧气不足而熄灭了。其实，有些灭火器就是通过喷出二氧化碳来覆盖燃烧物，从而达到灭火的目的。

125 高速前进的气垫船

气垫船利用向海面喷气所获得的升力漂浮在海面上,从而高速前进。我们也可以在桌子上做出一只飞速前进的气垫船。

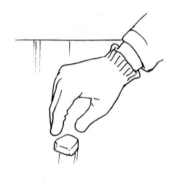

1. 将一小块干冰放在表面平滑的桌子上。(一定不能用手直接碰触干冰。)

2. 用筷子稍微拨动一下干冰,干冰会迅速向前滑动。

为什么?

干冰的表面会不断释放出二氧化碳气体。二氧化碳气体密度比空气大,就会聚集在干冰底部,使得干冰像气垫船一样漂浮在桌面上。这样,干冰与桌面的摩擦减小了,干冰就一下子冲出去了。

应 用

在盘子中装水,放入一块极小的干冰,它也可以像气垫船那样在水面快速前进。(但如果干冰太大,就会沉入水中。)

126 体积膨胀 750 倍

一小块干冰就可以使塑料袋鼓起来。

1. 将干冰敲碎，放进25厘米×30厘米的塑料袋内，将空气完全抽出，然后密封。（绝对不能直接用手碰干冰。敲干冰块时，要用厚毛巾将干冰包起来，以免碎片飞到眼睛、嘴里和脸上。）

2. 将塑料袋浸入水中或加热，塑料袋会慢慢鼓起来，胀得很大很大。（如果塑料袋已经胀得很大，但袋内还有成块的干冰，必须立刻刺破塑料袋。否则，塑料袋一旦被胀破，就会发生危险。）

为什么？

　　如果装入塑料袋中的干冰体积为8立方厘米，那么这块干冰完全变成气体之后的体积就会膨胀到6 000立方厘米左右。也就是说，干冰的体积增大了大约750倍。

　　另外再找一个同样大小的塑料袋，充满空气，用左右手掂量一下两个袋子，就能知道装干冰气体的那个袋子比较重，十分有趣。

专栏 6 科学家的青年·居里夫人

居里夫人的祖国波兰曾是俄国的殖民地。她决心通过学术成果来改变祖国和同胞的不幸命运。

青年时代，她到法国上大学，住在没有电、没有水，也没有暖气的屋顶阁楼，过着简陋艰苦的生活。但经过不懈努力，她终于以物理系第一名的优异成绩毕业。

与皮埃尔·居里结婚后，居里夫人仍然继续工作，并着手研究铀。铀最初是由贝克勒尔发现的，它是一种可以发出不可思议射线的金属。

在分析含有铀的沥青铀矿矿石时，居里夫人发现这种矿石能够发出比纯铀更强烈的射线。于是，她认定这种矿石中一定存在某种元素，比铀的放射性更强。

在简陋的实验室中，她数年如一日地坚持艰苦的研究，要从 1 吨沥青铀矿矿石中提炼不到 1 克的这种未知元素。她极度渴望了解这种神秘的元素。

最后，她终于和丈夫一起成功地提炼出了比铀的放射性高 100 万倍的新元素镭。这是个划时代的发现。

发现镭足以让居里夫妇获得巨大的财富，但他们认为这一发现应该属于全世界，于是他们向全世界公开了镭的提炼方法。对科学的热忱和信念使居里夫妇获得了傲人的研究成果，并获得了诺贝尔物理学奖。后来，居里夫人又获得了诺贝尔化学奖。

这里，我们将介绍居里夫人的雾箱实验①。

首先，在透明的塑料容器底部铺上黑色的纸，倒入消毒酒精，将黑纸浸湿。然后，将容器放在干冰上，冷却片刻。用手电筒照射塑料容器内部，就可以看到白雾。

这是由于，透明的塑料容器中充满了酒精的饱和蒸气，被干冰冷却后，酒精蒸气会达到过饱和状态。这时如果有射线粒子 (手电筒的光) 从蒸气中飞过，

---

①该实验的原型是"威尔孙云室"实验，1912 年由英国物理学家威尔孙 (1869~1959 年) 发明。

使沿途的气体分子电离，过饱和酒精蒸气就会以这些粒子为核心凝结成雾滴，这些雾滴沿射线穿过的路径排列，就将其显示出来了。

　　将用面巾纸摩擦过的塑料棒靠近塑料容器，在高压静电的作用下，可以将容器中的杂粒子除去，这样就能更清楚地观察到射线的踪迹。

　　做这项实验需要有相当的耐心。

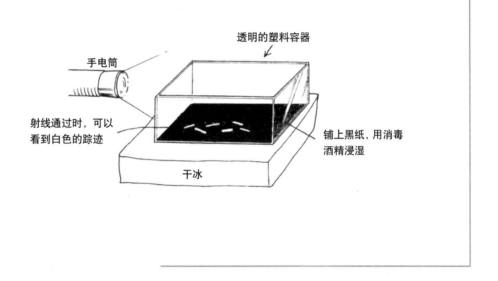

127 电力秋千

可以利用自然界深奥的法则创造电力，使秋千荡起来。

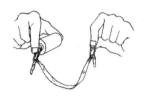

1. 将铝箔纸卷成细长条，拧弯两端使之变成钩形，然后挂在大号的回形针上做成秋千。

2. 找一节干电池，用右手将秋千的一端固定在电池的正极，左手拿住另一端。

3. 将一块磁铁放在桌上，把秋千悬在磁铁的正上方。用左手的回形针接触一下干电池的负极，然后马上放开，如此反复，秋千就开始摆荡起来。

●注意：如果使用两节或两节以上的电池，可能发生危险。

为什么？

这个实验的原理与专栏5的"回形针电动机"相同：处于磁场中的导线通上电后，会受到来自磁场的力。这个力的方向可以用"左手定则"（伸开左手，手心对准N极，手背对准S极，让磁力线穿入手心，4指指向电流方向，那么大拇指的方向就是导线受力的方向）来判断。当左手的回形针接上电池的负极时，就会有电流通过铝箔秋千，秋千于是就在磁场力的作用下摆动起来。当磁场力向上时，秋千会向前荡；磁场力向下时，秋千就会往后荡。左手的回形针与电池负极分开时，秋千就不再受力，而恢复原状。让左手的回形针与电池的负极时而接触，时而分开，秋千就会前后摆动。

148

蜡烛火焰的方向

拿着蜡烛走路时，火焰通常会向后飘。在这个实验中，火焰却往前飘。

1. 点燃一枝较短的蜡烛，放入一个有一定深度的透明容器中。

2. 拿起容器向前走，蜡烛的火焰就会向前飘。（小心火焰。）

为什么？

　　火焰飘动的方向之所以向前而不是向后，是因为这枝蜡烛是放在有一定深度的容器中的，当人向前走时，由于惯性，容器中保持静止的气体撞在容器的内壁上从而产生一股向前的气流，又由于蜡烛燃烧时容器下部的空气温度较高，因此密度变小，当容器上方密度较大的空气向后流动时，下面密度较小的气体在反作用力之下也会产生向前的气流，于是就使得火焰向前飘了。

硬币浮现在纸面上

注意看着，摩擦白纸……啊，硬币浮现出来了。

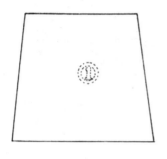

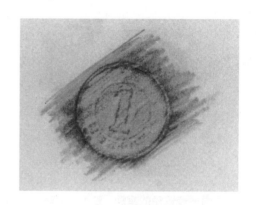

1. 找一张白纸和一枚硬币，将硬币藏在白纸之下。

2. 用铅笔在放有硬币的位置摩擦，不一会儿，硬币的图案就浮现在纸上了。

为什么？

　　硬币上的图案和文字很立体。用铅笔摩擦蒙在硬币上的白纸，硬币上凹陷的部分，会使它上面的纸与铅笔的接触力量减弱，所以画出的颜色相对浅淡；而凸出部分则可以增强纸与铅笔的接触力，因此可以清楚地拓下硬币的图案。

　　凸版印刷用的就是这个原理。把文字刻在印板上，再用墨辊涂上油墨，由于印板上的图文部分远高于非图文部分，所以只有图文部分能着上墨。最后把纸压在油墨未干的印板上，就印出文字来了。

吹口气让纸张互相吸引

用力吹气时，东西通常会顺着吹气的方向往远处飞去。但在这个实验中，越用力吹气，两张纸反而靠得越近。

1. 将两张纸平行拿在手上，相距10厘米左右。

2. 用力向两张纸之间吹气，这两张纸不仅不会相互排斥，反而相互吸引。

为什么？

根据伯努利定理，空气流速快的地方气压较小。用力向两张纸之间吹气时，此处的气压下降，纸张在外侧的大气压力的作用下，就会相互靠近。

应用

除了纸张等较轻的东西以外，也可以试试用较重的物件做这个实验。例如，用绳子将两个苹果悬在相距2厘米～3厘米的位置，用力往两个苹果之间吹气，苹果也会靠在一起。

131 西红柿电池

将一把铜钥匙和一把铁叉子插在同一个西红柿里,再把钥匙和叉子都接到小灯泡上,小灯泡竟然亮了!

1. 准备一个西红柿,一个小灯泡,一把铜质的钥匙和一把铁质的叉子。将西红柿捏软。

2. 将铜钥匙和铁叉子平行插进西红柿,等待一段时间。

3. 把铜钥匙和铁叉子露在空气中的柄分别接到小灯泡的侧边和底部,小灯泡竟然亮了!

应 用

还可以将两个或两个以上的西红柿串联起来,电流会更强,小灯泡会更亮!其他的蔬菜如土豆,以及水果如苹果、橙子、柠檬等,也能做这个实验。

为什么?

这个实验的原理和第33个游戏(人体电池)一样:在电解液中,只要放入两种不同的金属,就能形成电池。西红柿的汁液可以说就是一种电解液,铜钥匙和铁叉子则是两种金属。把钥匙和叉子插进西红柿,就组成了电池,再连上小灯泡,构成了一个简单的电路,小灯泡就亮了起来。

将西红柿捏软是为了增强电解液的活性,从而形成持续的电流。

132 轻松打开结

绳子打结后，通常不容易打开。这里，教你一个轻松打开结的方法。

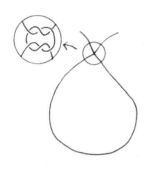

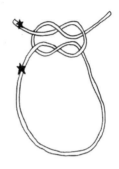

1. 按照如图的方式将绳子打结。（上面的结必须与下面的结对称，否则就会打成死结，游戏就玩不成了。）

2. 握住有★号的位置，用力拉扯，使两个★号之间的那段绳子成为一条直线。

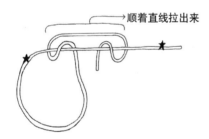

→顺着直线拉出来

3. 顺着那段直线把绳子拉出来，结就打开了。

为什么？

　　这种打结方式是日本人以前最常用的。系在礼物包装袋上的纸绳，系在糖果布袋上的绳子，都是用这种方式打的结。

　　这种方式打好的结，如果使用的绳子较粗，即使结打得比较紧，也可以轻松解开。但如果用的是细绳子或线，结就很难打开了。

133 放大与颠倒

透过同一个装满水的瓶子观察景物时，为什么会一下子变大，一下子颠倒呢？

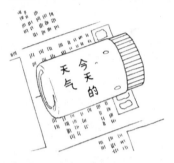

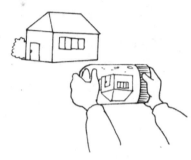

1. 把装果酱或速溶咖啡等的空玻璃瓶装满水，盖上盖子。透过瓶子看报纸，会发现报纸上的文字变大了。

2. 再透过这个瓶子看看远处，看到的景物竟然是上下颠倒的。

正立虚像　物体

前侧焦点　　　　　后侧焦点

凸透镜

物体

前侧焦点

后侧焦点

倒立虚像

凸透镜

为什么？

圆筒状的玻璃瓶装满水后，在一定距离内相当于一个凸透镜。如左图所示，当物体位于焦点内侧时，看到的就是放大后的虚像；当物体位于焦点的外侧时，看到的则是上下颠倒的实像。因此，既可以用这个瓶子放大报纸上的文字，也可以通过它看到上下颠倒的远处风景。

另外，实验中，在看远处时，瓶子若是直立的，看到的景物就是左右颠倒的；如果瓶子是水平的，看到的景物就是上下颠倒的。试试看吧，记得把瓶盖盖紧。

134 魔法风车转不停

只要用卫生筷摩擦吸管，吸管前端的风车就会不停旋转。

1~2 厘米

1. 像图中那样，用透明胶带将牙签固定在可以弯曲的吸管前端。

2. 用纸做一个直径为 1 厘米～2 厘米的圆盘，在正中央挖个洞。在圆盘的正反面都画上放射状的线条，以便观察纸盘是否旋转。

3. 将纸圆盘套在吸管上的牙签前端，用卫生筷摩擦吸管的锯齿状部分，纸圆盘就会像风车一样转动起来。

为什么？

　　将放在桌上的手提式电动按摩器打开时，按摩器在振动的同时会不停地移动。同样的道理，风车的转动，是由卫生筷摩擦吸管的锯齿状部分时产生的振动造成的。但如果摩擦吸管锯齿状部分的方法不对，风车就无法转动。这个实验需要多练习才能成功。

135 越近越看不清

近视的人看不清远处的东西，近处的东西却可以看得很清楚。可在这个实验中，近在眼前的东西你也未必看得清。

1. 让近视的孩子摘下眼镜，背靠窗户站立，拿一面镜子，看镜中窗外的景色。

2. 虽然镜面离眼睛只有10厘米~20厘米，孩子却无法看清楚镜中的风景。

为什么？

我们从镜子中看到的东西，并不是镜子表面的画像，而是来自物体的光线被镜面反射所成的像。因此，从镜中看到的景物与我们的距离其实是实际景物与镜面的距离加上眼睛到镜面的距离。所以，无论眼睛离镜子多近，近视的孩子都无法看清镜中的景物。

136 用垫板打开冰箱门

不用磁铁,就可以使垫板紧贴在冰箱门上,甚至还可以用它拉开冰箱门。

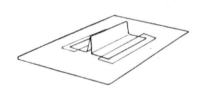

1. 用干布将垫板两面仔细擦干净,然后把名片对折,用透明胶带贴在垫板上做成把手。(如果不贴紧,很容易掉落。)

2. 将垫板贴在冰箱门上,轻轻拉名片把手时,冰箱门就会打开。

为什么?

垫板能将冰箱门打开,是因为当垫板的一面与冰箱门完全闭合时,垫板另一面上的大气压力将垫板紧紧地贴在了冰箱门上,垫板和冰箱门已成为一体,这时拉名片做成的把手,就可以将冰箱门打开。这个实验选用比较平滑的胶皮垫板,比较容易成功。

137 吹口气把纸吸起来

用力吸吸管时，可以将东西吸起来，这是很自然的现象。但你知道吗，向吸管吹气，也可以吸起东西。

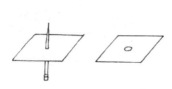

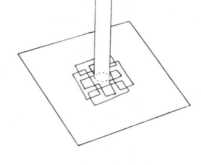

1. 将挂历纸剪成两个 10 厘米见方的正方形，在一个正方形的正中央挖一个洞，在另一个正方形中央插入牙签。

2. 在吸管前端剪 4 刀，折向外侧后，用透明胶带将吸管固定在第一个正方形的洞口。

3. 把插了牙签的正方形纸片对准固定好吸管的那张纸片，使牙签插入吸管，然后用力吸吸管，这时纸片当然会被吸起来；但如果向吸管吹气，也可以将纸吸起来。

为什么？

　　将两张纸对准后，用力吹吸管，两张纸之间会产生一股强大的风。根据伯努利定理，这两张纸之间的气压会下降，因而周围的大气压力会使两张纸靠近，看起来就像被吸在了一起。

138 纸盒堆高不会倒

将纸盒一个一个摞起来，即使最上方的盒子比最下方的盒子伸出去了一个盒子的长度，这堆纸盒也不会倒。

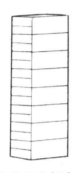

1. 准备 8 个新的面巾纸盒，一个个地往上摞。

2. 使最上方的盒子比它下面的盒子伸出半个盒子的长度。接着，使从上往下数的第 2 个盒子比第 3 个盒子伸出 1/4 的长度。

3. 依此类推，使上方的盒子比下方的盒子伸出 1/6、1/8、1/10、1/12、1/14 的长度。于是，最上方的盒子就会比最下方的盒子伸出整整一个盒子的长度。（以上盒子的伸出长度是理论值。实际操作时，可能要短一点。）

为什么？

　　最上方的盒子之所以能够比最下方的盒子伸出整整一个盒子的长度，是因为，经过这堆盒子整体的重垂线与地面的交点位于最下方盒子的内侧。当这个交点位于最下方盒子的外侧时，在重力作用下，上面的盒子就会翻转倒下。理论上，从上往下数第 N 个盒子可以伸出下一个盒子的长度，是它的 $1/(2 \cdot N)$。

用纸盒摞成拱门

不用粘合，就可以将面巾纸盒摞成一道拱门。

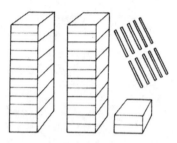

1. 准备13个新的面巾纸盒和10根卫生筷。每6个面纸盒为一组摞起来。

2. 将卫生筷夹在盒子之间，并稍微移动面巾纸盒，做成两个半拱门。（可以请孩子扶住拱门，以免拱门倒下。）

3. 将两个半拱门靠近，把剩余的一个面巾纸盒斜卡在顶部，就做成一个完整的拱门了。

为什么？

　　顶部的面巾纸盒之所以不会掉落，是因为在拱门的构造中，相邻的面巾纸盒内挤压着上顶的力，与重力达到平衡。

　　古希腊和古罗马时代就出现拱门构造了，它是欧洲的石造建筑当中被广泛使用的基本构造。拱门最顶部的石头称为"拱顶石"（keystone），缺少这块石头，整个拱门就会倒塌。这种构造不耐地震，欧洲国家很少发生地震，所以这种构造才会得到广泛应用。

随手转盘

用一根筷子就可以使扇子或是其他形状不规则的东西旋转。

1. 试着转动扇子。首先，用一根手指支撑扇子，寻找重心的位置。

2. 用双面胶将可乐瓶的瓶盖粘在找到的重心位置上。

哇

3. 用筷子较细的那端支在瓶盖中，拨动一下，扇子开始转动，然后就可以让它像转盘一样不停旋转。（双面胶的粘合力较弱，只能粘合较轻的物体。因此，不要用这种方法旋转玻璃盘子等有一定重量的物品，以免发生危险。）

为什么？

转盘之所以能够在空中保持平稳而不颠簸，是因为它能够不停地旋转。这个实验中的扇子就是这样。

141 胶卷盒变乐器

将胶卷盒剪一个缺口，再贴上吸管，就可以吹出像笛子一样的音乐。

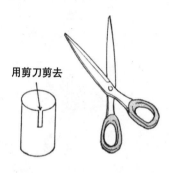

用剪刀剪去

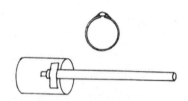

1. 在胶卷盒的侧面剪一个缺口，宽度大约是吸管的一半，长度大约是胶卷盒高度的一半。

2. 把吸管前端稍微压扁，然后插入胶卷盒的缺口大约一半的位置，并用透明胶带在胶卷盒外侧加以固定。

哔

3. 向吸管吹气，就会发出"哔"的声音。用手挤压胶卷盒口，就能改变声调的高低。（如果没有发出声音，就将吸管前端再压扁一点，并调整位置。）

为什么 ❓

　　之所以会发出"哔"的声音，是因为吸管前端吹出的气流撞击到胶卷盒的内壁和底部时产生了旋涡，气流旋涡发出的声音在胶卷盒中产生了共鸣。

　　用手挤压胶卷盒口，就改变了共鸣腔的形状，从而产生不同的共鸣方式，声调的高低也会随之变化。

142 硬币碰碰看

将几个面值相同的硬币排成一列，然后用一个硬币去撞击，中间的硬币完全不动，只有最外侧的一个被弹出去了。

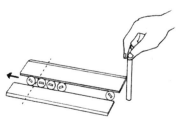

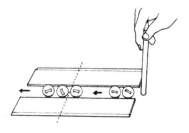

1. 将两把尺子平行放在桌上，让它们间隔刚好可以放入一枚硬币的距离。把4个硬币排成一列，然后用铅笔将另一个硬币向前拨，使它滑出去撞击前面的4个硬币。你会发现，只有最前方的那个硬币弹出去。

2. 将3个硬币排成一列，再将两个硬币一起向前拨。这次，最前面的两个硬币会弹出去。

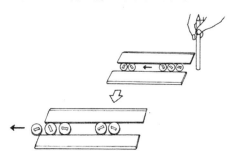

3. 将两个硬币排在一起，然后将3个硬币一起向前拨，结果会怎样呢？总共有3个硬币弹出去，其中一个是用来撞击的那3个硬币中最前面的那一个。

为什么？

这个实验可以用动量守恒定律(动量等于物体质量与速度的乘积) 来解释。根据该定律，在碰撞前后，动量保持不变。因此，用一个硬币撞击时，只会有一个硬币弹出去。

在实验的第一步，用一个硬币撞击时，我们通常会以为4个硬币会一起被弹出去。但并不是这样，因为这些硬币之间的距离十分微小，动量会直接向前传递，所以只有最后一个硬币会被弹出去。

143 电流与磁场

只要有电流，就能产生磁场，在日常生活中，我们往往注意不到这一点。不妨用简单的实验体会一下生活中不易看到的电流和磁场的关系。

1. 用磁铁在回形针上往相同的方向摩擦20次，并用线将回形针吊起。(回形针会沿着地球磁力线，朝向南北方向。)

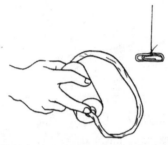

2. 把铝箔纸卷成细条，做成一条导线，将其两端与干电池的两极相连，形成一条电路，将这条电路的导线中心靠近回形针。

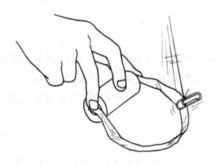

3. 回形针会剧烈摆动。

● 注意：使用两节或两节以上的电池可能会发生危险。

为什么 ?

　　这个实验利用了电流产生磁场的原理。这是奥斯特在19世纪初发现的。电流流入铝箔导线时，就在其周围形成了以导线为圆心的同心圆状磁场。回形针做成的磁针就在磁场的作用下摆动起来了。

无法计数的无限镜

在我们的周围，的确存在着难以理解的"无限"。

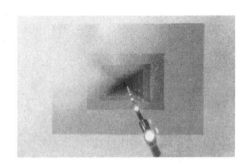

1. 手拿一面镜子站在大衣柜的穿衣镜前面，使两面镜子平行相对。

2. 在大镜子中，可以看到无数个小镜子。将手电筒的光照射在其中一面镜子上，就可以看到无限个光点。（上图是用特殊的半透明反射镜拍下的照片。）

为什么 ?

用1除以3，小数点之后会有无限多个3。我们常常在数学计算中接触到"无限"的概念。但当我们在实际生活中体验到"无限"时，难免会感到困惑。就像这个实验，大镜子中出现了无限多个小镜子的图像。即使用精密的仪器，也无法测出图像的确切数目。由此我们可以了解到，有些事情的确不是人类可以精确把握的。

145 用镜子量身高

只要用一面镜子，再测量地面的长度，就可以算出身高。

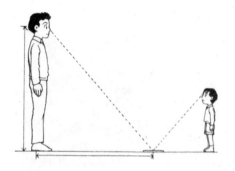

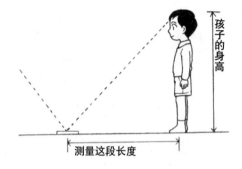

孩子的身高

测量这段长度

1. 将镜子放在自己前方的地面上，使镜子与自己的距离和眼睛的高度相同。让孩子站在自己与镜子的延长线上，调整好位置，使你刚好可以通过镜子看到孩子的头顶。

2. 测量孩子与镜子之间的距离，告诉他"这就是你的身高"。事实证明，这个距离的确与孩子的身高差不多。

应 用

将镜子放在距离墙壁1米的位置，然后调整自己的位置，直到可以从镜中看到天花板。用站立点到眼睛的高度除以站立点到镜子之间的距离，就是天花板的大致高度。这也是利用了光的反射原理，以及相似三角形的特性来计算高度。

为什么？

这个实验是利用光的反射原理。由于光的入射角与反射角相等，因此，只要孩子移动到可以从镜中看到头顶的位置就可以了。如图所示，镜子左右的两个人与他们的站立点到镜子的距离所形成的三角形都是等腰直角三角形，这两个三角形相似，所以可以利用其对应边的比值相等的特性计算身高。

146 报纸当成爆竹玩

把报纸折一下，再甩开，会发出很惊人的声音，就像放鞭炮一样。

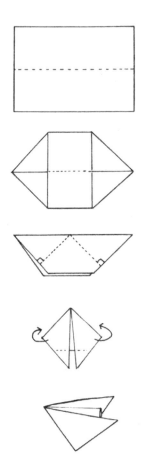

2. 抓住一端，用力一甩，向内折的部分就立刻冲出，同时发出巨大的声音。

1. 将报纸剪成两半，其中一半按照上图的方式折叠起来。

为什么？

　　内折部分冲出来的瞬间，报纸会产生一个三角锥状的空间。冲出时的空气会在这个三角锥状的空间内部剧烈振动而产生共鸣，于是就发出巨大的爆裂声。

147 水不会溢出

当我们进入装满水的浴缸洗澡时，浴缸里的水会溢出来，这些水的体积刚好与我们身体浸入水中的体积相同。但是你可以不断往装满水的杯中放入回形针，水完全不会溢出来哦。

1. 往杯中装满水，然后将回形针一个一个放入。

2. 第10个、第20个……不断放入回形针，水仍然不会溢出。

为什么？

将回形针放入水中时，水面本该因为回形针占用了体积而上升。但由于水的表面张力，所以，只会看到水面像山一样隆起，但水并不会溢出。水的表面张力很大，即使放入许多回形针，水面也只是隆起而已。

148 用尼龙丝袜看彩虹

透过妈妈的尼龙丝袜看电灯泡，可以看到彩虹喔！

1. 找一双妈妈的干净的尼龙丝袜。

2. 透过尼龙丝袜看灯泡，可以看到美丽的彩虹。（要使用透明的玻璃灯泡，灯泡越亮，越容易看到漂亮的彩虹。）

为什么？

尼龙丝袜是由细细的尼龙丝横向和纵向交互相织而成的，因此会形成许多网状的格子。当光线透过这些密密的网状格子时，会产生衍射现象：光波在传播时，如果被一个微小的物体阻挡，就会绕过这个物体，继续前进；如果通过一个微小的孔，则以孔为中心，形成环形光波向前传播。这个实验中，电灯的光就在网状格子边缘发生了衍射。不同波长的光，衍射的方式也不同，因而灯泡的光就被分成了七色光谱，于是就看到了彩虹。

149 手指在电视前频闪

在电视画面前反复晃动手指，会发现手指的动作断断续续，好像照相机在使用频闪闪光灯时的成像效果。

1. 打开电视，在电视画面前反复晃动手指。

2. 虽然手指一直在晃动，但看起来却断断续续的，好像照相机使用闪光灯时的成像效果一样。

为什么？

　　电视每秒会播放30个画面，这样才使我们看到的画面是连贯的。也就是说，电视画面是以每秒30次的周期忽亮忽灭的。当手指迅速晃动时，也就相当于手指在以某种周期忽亮忽灭，我们也就断断续续地看到了手指的晃动。在看电视时，我们有时会觉得汽车车轮的转动方向跟前进方向相反，也是这个原因。

　　在显像管型计算机的显示器画面前晃动手指，也会出现相同的现象。

150 简易凉风机

将湿毛巾挂在电风扇前，就可以感受到凉凉的风迎面吹来，像空调一样。

1. 将湿毛巾挂在毛巾架上，放在电风扇前。

2. 电风扇吹出的风立刻变得凉凉的。

为什么？

　　这个实验利用了水蒸发时的汽化热（在标准大气压下，使1摩尔物质蒸发所需要的热量）。水蒸发时需要吸收周围许多热量。毛巾上的水蒸发时，会从电风扇的风中吸收大量的热量，因此，风就变得凉凉的了。炎炎夏日里，往门口洒点水或傍晚的雷阵雨后我们会感觉比较凉快，就是这个原因。

151 用牛奶盒做直升机

只要有牛奶盒和卫生筷，就可以做成一架在空中飞翔的直升机。

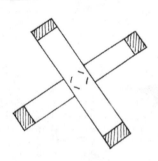

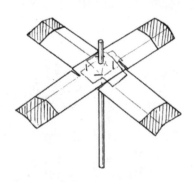

1. 从牛奶盒上剪下两片宽3厘米，长20厘米的纸片，交叠成十字后，用订书机钉住，做成机翼，并在机翼前端缠上胶带。

2. 在十字机翼的中心打一个洞，插入一根卫生筷，用透明胶带固定。如图所示将十字机翼靠近交叉点的地方沿纸片的交叠线剪开，稍稍折压机翼使其中央略微向上凸起。

3. 用双手合掌夹住卫生筷，迅速搓手心使筷子旋转，放开"直升机"，"直升机"立刻就会飞向空中。（由于有一定的重量，"直升机"可能无法向上飞。所以尽可能在高处放开"直升机"，这样就可以看到它在空中飞行。）

为什么？

　　"直升机"的机翼中央略微向上凸起，因此旋转时机翼上方的空气流速较快，气压较低（伯努利定理），机翼下方的大气压力就会给它一个向上的力量，让它浮在空中。

　　传统的竹蜻蜓也是利用这一原理制作的。

152 户外风景映在银幕上

银幕上可以映照出窗外色彩缤纷的景色！

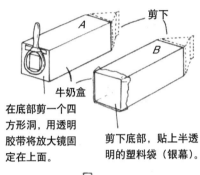

在底部剪一个四方形洞，用透明胶带将放大镜固定在上面。

牛奶盒

剪下

剪下底部，贴上半透明的塑料袋（银幕）。

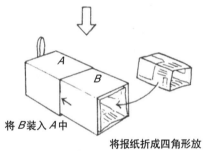

将 B 装入 A 中

将报纸折成四角形放入内侧，以便遮光。

1. 准备两个牛奶盒与一个放大镜，依照上图的步骤做成一个类似暗箱的构造。

2. 透过 B 口往窗外看，伸缩调整 B 箱，在某个位置就能看到窗外的景色映在塑料袋做成的银幕上，呈现出彩色的图像，但是是上下颠倒的。

为什么？

这正是照相机的原理。伸缩 B 箱，可以起到对准景物所成的实像的作用（对焦）。而根据凸透镜成像原理，通过凸透镜看远处的物体时，会看到颠倒的图像（参考第 133 个游戏：放大与颠倒）。

153 用3张名片做正二十面体

20个正三角形如何才能组成正二十面体呢？要是用脑子去想，保准你很快就会一片混乱。其实，只要动动手，几秒钟，就可以做成。

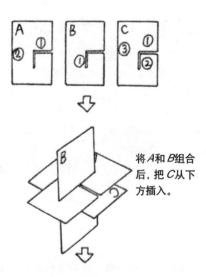

将A和B组合后，把C从下方插入。

将C①插入A①的缺口
将C②拉起至A②的部分
将C③插入B①的缺口

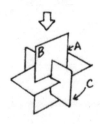

1.准备3张名片，如上图所示将中心部位剪开，相互插合组成一个对称的立体结构。

2.用牙签将这个立体结构中相邻的顶点连接起来，用透明胶带加以固定，这样就做出了正二十面体。

为什么？

名片的长和宽是比照黄金分割的比例设计的：也就是剪出以宽为边的正方形后所形成的长方形，与原先的长方形相似。（一般认为具有黄金分割的比例的图形很完美。）

因此，将3张名片组合成立体结构，再用牙签将各顶点连结起来，就可以做出正二十面体了。

科学上认定的正多面体只有5种，也就是正四面体、正六面体、正八面体、正十二面体和正二十面体。

154 气球足球

足球的形状比正二十面体还要复杂，可只用一眨眼的工夫，就做成了。

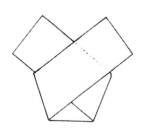

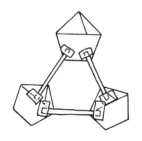

1. 准备12个相同大小的卫生筷纸套，折成五边形，用透明胶带固定。

2. 将这些五边形的顶点和顶点之间用橡皮筋连接起来，用透明胶带固定，使每3个五边形的正中央刚好形成一个正六边形。

3. 将气球放入其中，然后吹上气，就可以做成一个足球。

为什么？

足球是由12个正五边形和20个正六边形组成的三十二面体，就是将正二十面体的各顶点切除后所得到的立方体。

这个实验没有什么科学原理，只是让孩子了解，用一些简单的材料，就可以做出复杂的多面体。

科学游戏及应用原理一览表

上编

下编

后 记

1999年9月，应中国长春东北师范大学之邀，我为广大的中小学老师和大学生做了科学游戏的实验指导。

在这个过程中，我所展示的科学游戏实验颇受好评。

之后，我又前往北京的中国科技馆，为那里的工作人员展示了我的科学游戏实验，也同样得到了他们的称赞。

我每次到中国来演讲，只要做了科学游戏实验，听众都会要求我再多做几个。

在我的故乡日本长野县饭田市，每年的6月~11月，我都会抽出37天，在各中学巡回举办"科学教室"活动。在这段时间里，我可以接触到各教育委员会的成员和6 000多个孩子。

科学游戏实验拓宽了我的交流范围，使我有机会认识各地的老师和孩子，为我提供了一个与他人相互切磋的平台。

在这次的巡回过程中，也获得了各位读者的热烈支持，还有人教我新的科学游戏实验。收获之丰，无法在此一一列举，借此机会深表感谢。